Nuevos Manantiales:

Dramaturgas españolas en los 90

(Tomo I)

Colección Telón

Dirigida por Miguel Ángel Giella y Peter Roster

Foto de cubierta: "Penélope escribiendo su 5ª carta".
Ovide. *Les Épîtres élégiaques.* Ms Fr. 873, fol. 27v;
Francés 1496; Bibliothèque nationale, Paris.

GIROL Books, Inc.
P.O. Box 5473, Station F
Ottawa, Ontario, Canada
K2C 3M1
Tel/Fax (613) 233-9044
Email: info@girol.com

Impreso y hecho en Canadá
Printed & bound in Canada

ISBN 0-919659-44-6

Diseño y tipografía por LAR Typography, Ltd.
Design & typesetting by LAR Typography, Ltd.

NUEVOS MANANTIALES:
DRAMATURGAS ESPAÑOLAS EN LOS 90
(TOMO I)

BETH ESCUDÉ I GALLÉS
Pullus

PALOMA PEDRERO
Locas de amar

CARMEN RESINO
...Son los otros

MARGARITA SÁNCHEZ ROLDÁN
Hormigas sin fronteras

CARMEN DELGADO SALAS
La boda

Edición a cargo de

CANDYCE LEONARD E IRIDE LAMARTINA-LENS
(Wake Forest University / Pace University)

Colección Telón
Antologías, 9

GIROL Books, Inc.
Ottawa, Canada

First Edition, 2001
Primera edición, 2001

PUBLISHER'S NOTE

NOTA DE LA EDITORIAL

ISBN 0-919659-44-6

AGRADECIMIENTOS

Nuevos Manantiales es una labor de amor y de respeto por el teatro y por las maravillosas autoras que le brindan su talento, visión y dedicación. Les quisiéramos expresar nuestro agradecimiento profundo a estas mujeres extraordinarias con quienes hemos planeado y realizado este proyecto. Queremos agradecer a Wake Forest University (Carolina del Norte) y Pace University (Nueva York), al Program for Cultural Cooperation Between Spain's Ministry of Education and Culture and United States' Universities su generosa ayuda en facilitar nuestras investigaciones. También quisiéramos agradecerles a Judith Gale y a Alfonso Armada sus sugerencias lingüísticas clarificadoras.

~ ~ ~

Nuevos Manantiales:
Dramaturgas españolas en los 90

Al cerrar la década de los 90 aplaudimos la extraordinaria fecundidad creativa en la que se encuentra el teatro español actual. Este fenómeno se nutre de una producción artística excepcionalmente diversificada en la que convergen regiones, ideologías y estilos distintos. Hoy en día hay una abundancia de autores y autoras, tanto jóvenes como de reconocida trayectoria, que estudian, escriben y representan sus obras por toda España. Estos autores han sido los encargados de revitalizar y hacer evolucionar el género. Podemos señalar algunos acontecimientos que distinguen este período sociopolítico en la historia de España: la participación de España en la Unión Europea y la reestructuración económica del país; la coexistencia de varias generaciones de autores productivos cuya realidad individual ha sido marcada decisivamente por distintas ideologías y gobiernos que comprenden cuarenta años de dictadura, un entreacto socialista y la democracia actual; la aparición de salas llamadas "alternativas" y el reconocimiento de que éstas ya forman una parte integral de los escenarios españoles; y, la contribución creativa imprescindible de dramaturgas al teatro actual.

El florecimiento de la actividad teatral también se fomenta por un ambiente dominado por la publicidad que se presta a lo visual y que rodea a los autores en la presente época tecnológica y consumista. La herencia dramática española misma, el cine, la televisión, y otros medios tanto tradicionales como modernos que celebran y abrazan la imagen, hacen resaltar el mundo rico del icono y las posibilidades múltiples de significados, según la idea de Roland Barthes sobre el teatro como "una máquina cibernética". La influencia de escritores innovadores como Bertolt Brecht, Heiner Müeller, Harold Pinter, o Samuel Beckett, junto con los textos transcendentales griegos y clásicos, confluyen con la presencia profusa de la imagen para engendrar otros diversos modos de ver y de representar el texto. El resultado es un lenguaje teatral que evoca la resonancia poética del proceso creativo que surge en busca de su propia voz.

Luego de haber completado estudios formales en la Real Escuela Superior de Arte Dramático de Madrid, en la Universidad Complutense de Madrid, o en el Institut del Teatre de Barcelona, algunos de los dramaturgos actuales han participado en talleres dirigidos por José Sanchis Sinisterra, Guillermo Heras, Fermín Cabal o Paloma Pedrero, entre otros. Ya sea desde la óptica vanguardista, realista, tradicional o experimental, el acto de escribir y de hacer teatro define y proclama un nuevo capítulo en la historia teatral. La dinámica positiva producida por la confluencia de todos estos factores culturales, políticos, sociales, y estéticos condiciona la evolución teatral durante la transición al siglo XXI, y ubica al teatro español contemporáneo en los umbrales de la innovación, del cambio y del descubrimiento.

Durante este período de innovación entre los años ochenta y noventa, la participación vital y dinámica de la mujer en el teatro español ha transformado lo que anteriormente se consideraba un fenómeno anómalo en una realidad indiscutible de ramificaciones históricas positivas. En la actualidad se está produciendo una serie de obras que han recibido un merecido reconocimiento por parte de la crítica tanto nacional como internacional, las cuales han puesto de relieve la virtuosidad de dramaturgas y dramaturgos españoles contemporáneos. A pesar de su presencia activa desde hace muchos años, el reconocimiento crítico proporcionado a las autoras dramáticas por sus aportaciones innovadoras al género teatral es, sin embargo, bastante reciente. Entre 1988 a 1993, se publicaron tres estudios claves sobre dramaturgas españolas. En 1988 Patricia O'Connor publicó una colección de piezas breves titulada, *Dramaturgas españolas de hoy. Una introducción.* El libro contiene un estudio preliminar en el que la hispanista norteamericana se esmera en escudriñar los datos históricos que contribuyeron a la represión artística de la mujer y pone en evidencia el vigor y la presencia de dramaturgas en la comunidad teatral actual. Cuatro años más tarde, en 1992, Lidia Falcón y Elvira Siurana documentaron la vida y las obras de algunas escritoras excepcionales de los siglos diecinueve y veinte. El *Catálogo de escritoras españolas en lengua castellana (1860-1992)* ofrece una extensa información sobre las trayectorias individuales de estas escritoras anteriormente censuradas por razones ideológicas o políticas en las antologías de teatro. En 1993, Pilar Nieva de la Paz publicó una monografía fundamental, *Autoras dramáticas españolas entre 1918 y 1936.* La importancia de este documento es que resucita la producción teatral realizada por autoras durante la primera mitad del siglo veinte, a la vez que sirve de infraestructura para las investigaciones actuales. Además, Nieva examina la situación sociocultural de aquella época en la que se construyeron papeles femeninos y masculinos rígidos en el mundo literario. En esta primera etapa de documentación histórica y de propagación crítica, estos trabajos, junto a numerosos artículos enfocados en la dramaturgia femenina, sirvieron no sólo como testimonios fidedignos de una auténtica presencia femenina en el desarrollo de la historia teatral española, sino que también nutrieron y, en cierto modo, encaminaron las indagaciones de los años posteriores.

En 1996 la Asociación de Directores de Escena de España y el Instituto de la Mujer del Ministerio de Trabajo y Asuntos Sociales de España juntaron sus recursos con la intención de rectificar la historia desequilibrada de la literatura dramática española y de suplirla con la documentación de más de setecientas dramaturgas entre los siglos XVI y XX. *Autoras en la historia del teatro español* es un extraordinario esfuerzo de investigación realizada en conjunto, y es, sin duda, el estudio más completo hasta la fecha. El primer tomo de 1.022 páginas y el segundo de 1.414 salieron en 1996; el tercero, editado en el año 2000, se dedica a las escritoras dramáticas de los últimos veinticinco años. Estos tres volúmenes documentan minuciosamente el legado antes censurado y ahora rescatado de teatro escrito por mujeres.

Quizás una de las mayores aportaciones del *Diccionario del Teatro* (1997), preparado por Miguel Gómez García, es la inclusión y la atención que este estudioso le presta al teatro universal ya que abarca a dramaturgos y dramaturgas no sólo dentro sino que también al margen de los cánones literarios. Sus anotaciones incluyen a Christopher Marlowe, el conocido dramaturgo británico del siglo XVI; a Antonin Artaud (1896-1948), el destacado dramaturgo francés del siglo XX asociado con el *teatro de la crueldad* y *el teatro de la peste*; y a Antonio Buero Vallejo (1916-2000), el dramaturgo español más ilustre de la segunda mitad del siglo XX. Junto a estos escritores célebres, Gómez García intercala anotaciones de dramaturgas españolas como Yolanda Pallín (n. 1965), Concha Romero (n. 1948), Carmen Resino (n. 1941), Paloma Pedrero (n. 1957) y Lidia Falcón (n. 1936), todas ellas publicadas en la presente antología en dos tomos. La inclusión de estas cinco mujeres, entre otras, en un diccionario de esta índole, indica la llegada de un nuevo período histórico de compendiar y estudiar el teatro. Desafortunadamente, las antologías dramáticas tradicionales, ya sean en español o en traducción, no reflejan estos avances y se concentran casi exclusivamente en las obras de autores masculinos. Este desajuste entre la realidad documentada y la tradición saca a la luz la tendencia a establecer, mantener y politizar los textos canónicos.

El peligro de examinar el teatro español contemporáneo con criterios monolíticos enfocados en un solo género —el femenino— puede conducir a una cierta deformación de lo que ocurre en este campo en la actualidad. Esencialmente el teatro representa, entre muchas cosas, las múltiples voces de un sinnúmero de rasgos y condiciones sociales, sexuales, culturales y políticos. Mientras que el canon tradicional determina el mercado de oferta y demanda, la experiencia nos indica que la selección de obras, muchas veces, se sostiene por predilecciones o prejuicios ideológicos y políticos. A pesar de la existencia de un repertorio extenso de piezas teatrales escritas por mujeres, las compañías teatrales en España, los directores, los empresarios y hasta los medios de promoción siguen privilegiando al autor masculino. Por ejemplo, en mayo de 1997 *La Esfera*, el suplemento literario del periódico *El Mundo*, publicó, en un artículo titulado "La delicada entrega a un escenario", un esbozo general de los diez dramaturgos jóvenes más sobresalientes. A cada uno de ellos se le dedicó una sinopsis bio-bibliográfica y una foto. Gracias al impacto visual de las fotografías, resalta la única presencia femenina de Yolanda Pallín entre los diez autores elegidos. Al año siguiente, en 1998, *Primer Acto*, una de las revistas teatrales más importantes de España, publicó el artículo "Voces para el 2000", en el que se mencionan doce autores que figuran entre los jóvenes dramaturgos representantes de la época actual: tres mujeres y nueve hombres. Y en marzo de 1999, la revista cultural catalana, *Aviu Diumenge*, dedicó una sección a los dramaturgos catalanes actuales: "Els dramturgs catalans contemporanis". Otra vez se nota el mismo desequilibrio ya que se encuentran sólo tres mujeres entre los dieciocho autores seleccionados de distintas generaciones. La desigualdad de representación femenina nos obliga a reflexionar sobre las razones por las cuales se reconoce un número tan reducido de autoras dramáticas. ¿Cuáles son las raíces de esta discordancia: la tradición académica, la preferencia social, las exigencias socioculturales, o un público mayoritariamente masculino?

Entre los varios vehículos creados para estimular la difusión del teatro existen unos concursos de teatro nacionales e internacionales que no sólo dan reconocimiento crítico sino que también facilitan la publicación y el montaje de las obras galardonadas. La discrepancia entre el número de premios otorgados a los autores y los que se conceden a las autoras es inquietante e innegable. En 1985, por ejemplo, el Instituto de la Juventud instituyó el premio Marqués de Bradomín como homenaje a uno de los autores más destacados del siglo XX, Ramón María del Valle Inclán (1866-1936). El premio está destinado a autores teatrales menores de treinta años de edad, y cuya importancia en cuanto a atraer, formar, y animar a una nueva generación de escritores es indiscutible. El premio consiste en la entrega de una cantidad de dinero, la publicación de la obra y su representación. Esta nueva promoción de autores "bradomineses" forma parte del núcleo juvenil encargado de la renovación del teatro español finisecular. Hay que señalar que de las cinco obras premiadas y los diez accésit entre los años 1985-1989, no se encuentra a ninguna mujer que haya ganado el primer premio, y sólo dos mujeres han obtenido el accésit, Daniela Fejerman (1985) y Margarita Sánchez (1989). La desproporción sigue vigente en los 90 ya que hasta 1999 el primer premio siempre se le ha asignado a un hombre, y el accésit, sólo a cuatro mujeres: Carmen Delgado (1990), Yolanda Pallín (1995), Eva Hibernia (1997), e Itziar Pascual (1997). Otro premio teatral que cobija más prestigio hoy en día es el Premio Born, concedido por el Cercle Artístic de Ciutadella de la isla de Menorca. Según el presidente del Cercle Atístic, Albert Coll (1995-1999), a la primera convocatoria en 1970 se presentaron doce obras y el premio consistió en cinco mil pesetas; actualmente llega a dos millones de pesetas y concursan más de cien obras. Igual que en el caso Marqués de Bradomín, hay más premiados que premiadas. Desde el año 1970, el Premio Born ha sido galardonado veintiuna veces, pero sólo en dos oportunidades han sido mujeres las premiadas: Mª Dolores Contey (1970) y Lluïsa Cunillé (1999). Al considerar otros premios importantes de esta época, como el Calderón de la Barca, galardón de mucho prestigio otorgado por el Ministerio de Cultura, se ve que desde 1990 hasta 1999 sólo dos mujeres (Lluïsa Cunillé en 1991 y Yolanda Pallín en 1996) han sido premiadas. No hace falta continuar elaborando la cantidad de artículos, premios, o aun estrenos para registrar lo que ya queda patente.

La ausencia de escritoras premiadas se señala como motivo de constituir el Premio María Teresa León para Autoras Dramáticas en 1994. El Instituto de la Mujer del Ministerio de Asuntos Sociales junto con la Asociación de Directores de Escena crearon el premio para posibilitar el reconocimiento de autoras de teatro. En el año 2000 vemos el Premio patrocinado no sólo por el Instituto de la Mujer y la Asociación de Directores, sino también por la Fundación Autor de la Sociedad General de Autores de España. El primer premio cuenta con una dotación económica de un millón trescientas veinticinco mil pesetas, mientras que el accésit tiene una asignación de seiscientas veinticinco mil pesetas, más la publicación de las obras. En la introducción a la publicación de las primeras obras premiadas en 1994, Cristina Alberdi, Ministra de Asuntos Sociales de aquella época, explica de frente la insinuación de la discriminación positiva: el hecho de que las mujeres todavía no gozan de condiciones ecuánimes en el mundo del teatro. Alberdi concluye que "necesitamos aún de acciones específicas, que legitimen las funciones creativas de las mujeres, que permitan su acceso a todos los foros públicos".

Sin duda alguna, al preparar esta antología, nuestra preferencia habría sido proponer un libro que hubiera representado de forma equilibrada tanto las obras de dramaturgas como de dramaturgos contemporáneos; pero debido a la escasez de antologías dedicadas a la dramaturgia femenina, *Nuevos manantiales: dramaturgas españolas en los 90* propone, como lo hace el Premio María Teresa León, recuperar, reconocer y celebrar la voz femenina dentro del panorama teatral español de esta época. *Nuevos manantiales...* reúne a nueve dramaturgas actuales que proceden de generaciones, regiones y aportaciones artísticas distintas y que se dedican activa y productivamente al arte de escribir teatro. Entre las varias características por las que destacan estas dramaturgas, habría que señalar las siguientes: seis de ellas [Paloma Pedrero (1957), Margarita Sánchez Roldán (1962), Beth Escudé i Gallés (1963), Carmen Delgado Salas (1962), Yolanda Pallín (1965) y Mercè Sarrias (1966)] pertenecen a una generación cronológica de escritoras cuya madurez transcurrió en la época de una España democrática, hecho esto que tuvo no poca influencia en su formación intelectual e ideológica; todas las obras aquí incluidas fueron escritas durante este período democrático y manifiestan las preocupaciones de la época; aún más extraordinario es el hecho de que por primera vez en la historia del teatro español existe la presencia dinámica e inconfundible de un grupo de dramaturgas vivas cuyas obras, por separado y en conjunto, se utilizan ahora y se utilizarán en el futuro como fuente y modelo literario.

De hecho, esta colección en dos tomos trata de captar una muestra de ese fervor artístico de los años 90 incluyendo un repertorio de obras que en su mayoría se publican por primera vez en esta edición, el cual concurre a la larga e ilustre tradición del teatro español. Así, la variedad de voces femeninas que integran la colección logra constituir una poderosa pluralidad creativa al cruzar el umbral del nuevo milenio.

Nuevos manantiales... se ha realizado gracias a una colaboración dinámica entre las editoras y las dramaturgas. Esta excepcional solidaridad profesional ha logrado producir una antología que integra una serie de elementos: literarios, biográficos y bibliográficos. En su conjunto estos elementos sirven para aclarar y facilitar la comprensión de la nueva dramaturgia femenina. Para cada pieza teatral hay una introducción crítica a la obra, una bibliografía selecta, una foto y un autorretrato escrito expresamente para esta edición. En la primera parte del autorretrato, la autora narra la trayectoria de su teatro, y en la segunda, ofrece un comentario crítico en cuanto a la obra incluida en esta colección. Los autorretratos descubren unas tonalidades artísticas en el proceso creativo frecuentemente desconocidas por el lector. También se exponen unas reflexiones reveladoras que conectan más concretamente a la escritora con la obra y así proyectan aún más el vigor de la palabra y la presencia palpable de la dramaturga.

La selección de las autoras y obras para esta antología ha sido realizada según los siguientes criterios: la publicación de la obra en castellano; la creación de la obra durante la década de los 90; la búsqueda de textos diversificados que muestran la pluralidad del teatro actual; y, sobre todo, el deseo por parte de la autora de participar activamente en el proyecto. Hace falta recalcar que actualmente hay muchas dramaturgas activas a quienes, por razones diversas, no pudimos incluir en estos dos tomos. Entre ellas deberíamos mencionar a: Lourdes Ortiz (n. 1943), *La cenicienta* (1988), *Pentesilea* (1991), *Electra Babel* (1992), *Olivia y Macedonia* (1995), *Dido en el infierno* (1995) y *El cascabel al gato* (1996); Itziar Pascual (n. 1967), *Fuga* (1994), *El domador de sombras* (1995), *Las voces de Penélope* (1997), *Miauless* (1997), *Holliday Aut* (1998), *Blue Mountain* (1999) y *Ciudad Lineal* (2000); Lluïsa Cunillé (n. 1963), *Berna* (1991), *Rodeo* (1992), *Libración* (1995), *Privado* (1997), *El instante* (1998), *Passatge Gutenberg* (2000) y *El aniversario* (2000); Encarna de las Heras (n. 1969), *El niño instantáneo* (1992), *La orilla rica* (1993), *¡Mamma mía!* (1994), *Faunos (el ciclo vital)* (1996), en colaboración con Ángel Solo y Carlos Poyal; María-José Ragué-Arias (n. 1941), *Ball d'escombres* (1991), *Encarna no té nom* (1993), *Les dones de Troía* (1994) y *Sorpresa* (1995); y Ana Diosdado (n. 1940), *Los 80 son nuestros* (1988), *En la corteza del árbol* (1991); *Trescientos veintiuno, trescientos veintidós* (1992), *La importancia de llamarse Wilde* (1992) y *Cristal de Bohemia* (1996).

Desde una perspectiva sincrónica, entre los textos de *Nuevos manantiales...* se encuentra una variedad de formas que incluye la estructura tradicional de dos o tres actos, la obra breve en un acto y el monólogo. Todas las obras desarrollan tramas y situaciones arraigadas en el momento actual y delinean preocupaciones contemporáneas y universales, tales como el rol que asume tanto el hombre como la mujer en nuestra sociedad, el medioambiente, el desempleo, las relaciones interpersonales y el proceso creativo mismo. Casi todas las obras adoptan una perspectiva "feminista" que les permite a sus protagonistas interrogar conductas y normas convencionales y arbitrarias. Sus personajes representan varios sectores de la sociedad, y la mayoría, especialmente las mujeres, se atreve a transgredir patrones culturales, sociales y políticos para definirse según su propio criterio personal.

La característica más sobresaliente de estas obras es la crítica abierta y cristalizada a pautas tradicionales, la que se ejecuta por el deseo de cambio. Al mirar las obras según los temas o las tendencias patentes, vemos tres categorías o agrupaciones principales. En el primer grupo se desarrolla la problemática de la pareja contemporánea dentro de la institución matrimonial. Aquí figuran tres obras que examinan el matrimonio desde tres etapas distintas. Primera etapa: la decisión de casarse o no, en *La boda* de Carmen Delgado (n. 1962); segunda etapa: el engaño, en *Un maldito beso* de Concha Romero; tercera etapa: el desengaño, en *Locas de amar* de Paloma Pedrero. Por medio de la farsa, un lenguaje coloquial y una estructura dramática convencional, estas comedias revisionistas examinan las costumbres matrimoniales en sus detalles más espontáneos, absurdos y familiares. La verosimilitud y la actualidad de los personajes y sus circunstancias establecen puntos de referencia tangibles e identificables para el público. En las tres obras destaca una anticipada tensión dramática que irrumpe cuando la representación tradicional se yuxtapone con temas contemporáneos. A través de un prisma iluminador, Delgado, Pedrero, y Romero nos enseñan que el enigma de la pareja moderna se puede explorar y matizar dentro de una variedad de contextos.

A pesar de que cada una de las cinco obras del segundo grupo tiene características del teatro realista, se entreteje sutilmente un código simbólico que le agrega matices provocadores e inquietantes al contexto literal. El nexo que une estas obras —ya sea dentro del contexto matrimonial o bajo el acoso del desempleo— es un ambiente sofocante del que sus protagonistas esperan escapar mediante sus propias acciones decididas, y que pretenden ser didácticas para el público. En ...*Son los otros*, Carmen Resino construye un monólogo caracterizado por un lenguaje vital y un sentido del humor. La obra se centra en la complejidad de las relaciones cotidianas entre hombre y mujer, tales como la lealtad, la fidelidad, el amor y el deber. La protagonista, de edad madura, trata de reconciliarse con su pasado y reconstruir su identidad retando los mandatos de una sociedad paternalista. En *Hormigas sin fronteras*, una humorística comedia musical para niños, Margarita Sánchez Roldán perfila la odisea espiritual y política de tres protagonistas jóvenes y rebeldes, quienes se solidarizan con la lucha contra la explotación laboral, la pobreza y las limitaciones culturales. Después de una serie de frustradas experiencias en las que prevalece un tono cómico y que funcionan como metáforas de su propio proceso de auto liberación, estas aventureras de la vida logran entender su posición social e individual dentro del contexto global. En *África 30,* Mercè Sarrias aborda los temas del desempleo, la inflación y la relatividad de los valores que han contribuido a la angustia humana en la España de su época. Aunque los dos personajes centrales son varones, *África 30* supera distinciones en cuanto al género para así poner de manifiesto las urgencias personales y sociales. El joven protagonista, un experto en medioambiente desempleado, se encuentra dividido entre sus ideales profesionales, las exigencias imperdonables de una sociedad moderna de consumo y su pasión por lo exótico.

Yolanda Pallín, autora de *La mirada,* divide su obra en dos partes. Aunque aparentemente no relacionadas entre sí, las dos partes están vinculadas por un mismo tema central: el deseo. La historia arranca de un encuentro casual entre dos desconocidos que por medio de la mirada establecen una relación efímera pero inolvidable. A través de una mirada que penetra, posee y provoca, esta obra esboza el misterio del primer encuentro entre un hombre y una mujer, y la comprensión de que las relaciones profundas y eternas son una ilusión.

¡Vamos a por todas!, de Lidia Falcón, es la obra más abiertamente didáctica de este grupo. Se trata de un programa semanal de televisión cuyo tema esa tarde es el amor y el matrimonio. Versa sobre una crítica al consumismo voraz en la que se instiga a los invitados a revelar sus sentimientos más íntimos delante del público presente en el plató y del televidente. Es dentro de este contexto que la autora condena la preferencia por el tradicional matrimonio heterosexual como única opción. Este cuestionamiento a las relaciones afectivas entre los seres humanos destaca por su carácter didáctico, su ritmo animado y su censura implacable a la intolerancia.

La última obra de la que consta el tercer grupo de la colección, *Pullus, el resplandor del lomo en las libres huidizas,* de Beth Escudé i Gallés, alcanza un nivel de surrealismo poético convirtiéndose así en el drama social más experimental de esta colección. Debido al diálogo, a la confluencia de la ilusión y la realidad, y a las alusiones a conocidas figuras femeninas literarias, la obra consigue trascender límites temporales y geográficos. Esta pieza teatral se arraiga en temas provocadores tales como el suicidio, la relación simbiótica entre la juventud y la vejez, la eutanasia y el homicidio, todo lo cual rodea al proceso de formación de una escritora dentro de parámetros patriarcales. *Pullus* es una especie de manual de autoayuda para enseñar cómo hacer nacer la voz femenina por la integración y revisión de la literatura masculina bíblica y homérica, dos tradiciones fundamentales de nuestra civilización.

Las obras presentadas en los dos tomos de *Nuevos manantiales...* no sólo anticipan un teatro innovador e incitador en la primera década del siglo veintiuno sino que también abren las puertas a escritoras talentosas que no temen enfrentarse con las pretensiones globales ni tampoco con las incongruencias entre el presente y el pasado.

Candyce Leonard
Wake Forest University

Beth Escudé i Gallés
(1963-)

La atracción por el teatro le llega a Beth Escudé después de una carrera como bailarina. Comienza sus estudios de baile cuando tiene tres años y se profesionaliza integrándose en una compañía de danza cuando tiene 18 años. Después de siete años con la compañía, se matricula en su primera clase de arte dramático para salir licenciada en Dirección Escénica y Dramaturgia por el Institut del Teatre de Barcelona. Escudé escribe en su idioma materno, el catalán —pero domina también el inglés, el francés, el italiano, y el castellano— y ha participado como lectora de textos en inglés para el proyecto de intercambio de lecturas dramatizadas entre la Sala Beckett de Barcelona, el Centro Andaluz de Teatro de Sevilla, la sala alternativa madrileña, Cuarta Pared, y el Royal Court Theatre de Londres. Sus obras ya estrenadas, aunque inéditas, son: "El pensament per enemic" (1996), "Historia de la muñeca No" (1999), "Beats" (1999) y "Les nenes mortes ne creixen" (1999). Sus obras estrenadas y publicadas son *El destí de les violetes* (1994), *La línea plana* (1998)), *Pullus (El resplandor del lomo en las liebres huidizas)*, 1998; y *Ciudadano ¿qué?* (1999, escrita con Alejandro Montiel).

En 1996, la autora recibe una beca del Institut del Teatre de Barcelona para estudiar en Italia, y otra beca del British Council y la Comunidad Europea para un curso impartido en el Royal Court Theatre de Londres. En 1999, su obra "Beats" recibe un accésit de Credit Andorrà, y en el mismo año la autora gana una bolsa de ayuda del Teatre Nacional de Cataluña. Su teatro en general se caracteriza por la ausencia de una trama tradicional, por un diálogo que capta el lenguaje cotidiano, por una predisposición hacia lo metafísico y por un sentido del humor. "La línea plana", por ejemplo, se basa en un evento histórico que tuvo lugar cuando la compañía Buffalo Bill's Wild West Show actuó en Barcelona. Se trata de un cadáver, Pascual, que espera la llegada del empleado de la funeraria para hacerse cargo de él. Mientas su cuerpo sigue entre los vivos, su espíritu narra sus recuerdos terrenales. Pascual, un gitano que murió en un accidente durante el show de Buffalo Bill, habla con el espíritu del indio Mano Amarilla, otro actor fallecido. Poco a poco descubrimos que estamos escuchando los pensamientos de un muerto justo antes de que lo entierren. "La línea plana" es un monólogo poético que medita acerca de la irrealidad de la muerte dentro de una realidad muy concreta, y la línea frágil y tenue que existe entre las dos.

Pero ya que Pascual y Mano Amarilla son "actores", entendemos el paralelismo a otra línea frágil y tenue que existe entre el escenario y la vida diaria, o sea, entre la ilusión y la realidad; y nos damos cuenta también del poder que tiene la autora/creadora sobre sus personajes, a quienes puede quitarles la vida que les otorgó.

Pullus, el resplandor del lomo en las libres huidizas, es, sobre todo, una obra de resonancia poética que demuestra la sensibilidad estilística que se identifica con un sector de las salas alternativas. La pieza no carece de referencias universales: la vejez, la relación entre mujeres, la vida, la muerte, la eutanasia/el homicidio, el amor, el suicidio, el rito, y la mezcla inevitable e imprescindible entre la ilusión y la realidad. La historia se centra en una conversación entre una suegra y su nuera, ésta joven y ya viuda, y en cómo las dos reaccionan ante la vida y la muerte. Por las historias que aparecen dentro de la obra —Noemí y Rut, Hécuba y Andrómaca— es evidente que el eje central es la figura de la mujer. Ante las tragedias que nutren la existencia, se plantea una forma de defensa que consiste en reducir la distancia entre la ilusión y la realidad. Así surge, de manera intercalada, la historia, inventada por Escudé, de Xandra y Draupadi. Aunque la obra interior trata de una nuera que decide eliminar a su suegra, el motivo último del acto de homicidio de la joven —si es que lo fue— no queda claro. Con el ungüento aliviador, la joven asiste a la agonía de la anciana. Sea su muerte fruto de un acto de eutanasia o de homicidio, o un acto ambiguo que no se explica fácilmente, ambos, el acto y el momento, resultan profundamente humanos y conmovedores.

En su "Nota del Traductor", Alejandro Montiel Mues explica el uso importante por la autora de la sinestesia, "la transferencia de significado de un dominio sensorial al otro", y su aplicación frecuente en la literatura catalana y castellana. En el caso de *Pullus...*, el diálogo esclarece las intenciones de la autora de explorar y llevar al límite a nuestras capacidades sensoriales: "¿Qué ruido hacían? ¿Era blando? ¿Elástico?", pregunta la joven, tratando así de sugerir otras formas de conocimiento. La cuestión fundamental no radica en reconocer que la sinestesia sea una característica técnica de la obra, sino en comprobar hasta qué punto la sinestesia narra al mismo tiempo que es la propia narración. La observación de la joven hacia el final de la obra —"Quizás esas piedrecitas, de tanto convivir con las luciérnagas, han aprendido a expresarse con palabras de luz"— sugiere una trascendencia, una posibilidad de ir más allá de las limitaciones que les impiden a las mujeres expresarse únicamente a través del modelo de los textos masculinos (la Biblia y *La Ilíada*, por ejemplo). Al final de la pieza, cuando la anciana pregunta a la joven "¿Crees que se escribirá esta historia?", surge la segunda clave de la obra.

De modo sumamente posmoderno y autoconsciente, la pieza termina por decirnos que esa historia aún queda por escribirse, y así el propio proceso creativo surge para inscribir la historia de las mujeres dentro del canon literario. Por otro lado, y sin darse cuenta, la Anciana, al pedir escuchar las historias, también condena a la mujer dominada por una tradición masculina (la obsesión de la Mujer Joven por fregar el suelo y "ser esclava y víctima del hombre al que amo"). De todos modos, la historia de estas dos mujeres, la que se constituye y se desarrolla a partir de, y gracias a los muchos relatos que en ella confluyen, termina por crear nuevas historias en las que sí se oye la voz femenina.

CANDYCE LEONARD
Wake Forest University

~ ~ ~

Autorretrato: Beth Escudé i Gallés

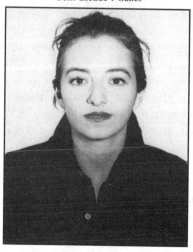

Foto: Gentileza de
Beth Escudé i Gallés

Nací probablemente para contrariar a mis padres. No estaba previsto en sus planes mi concepción y cuando por fin se acostumbraron a la idea —tiempos de resignación— fui fatalmente niña. Se dieron cuenta a tiempo y no me pusieron David.

Hoy fumo, bebo, voy en moto, me automedico, no me hago las revisiones anuales en el ginecólogo, como Fritos Barbacoa y escribo. Con algo tiene una que distraerse.

Pero soy ya un poquito mayor para creer que tener espíritu de contradicción es un valor. Siempre se tarda unos años en comprender que es el Señor Mundo el Enfant terrible.

Quise ser veterinaria como todas las niñas, pero los ceros de física y química me lo desaconsejaron. Fui bailarina —las malas lenguas dicen que corista de cabaret— pero cinco esguinces y un traumatólogo, amputador del arte del marabú, me jubilaron prematuramente. Ejercí como actriz y, ahí sí, me olvidé pronto del asunto yo solita, como consecuencia de un feroz ataque de generosidad hacia el respetable público.

Estudié entonces Dirección Escénica y Dramaturgia en el Instituto del Teatro de Barcelona. Suponéis bien: quería hacer el recorrido de Dirección Escénica. Pero un señor con nombre largo y que no se llama Pepe —omito su nombre porque siempre he sospechado que se trata del Anticristo— me sedujo para que recorriera el segundo camino. Y ¡heme aquí, dramaturga perdida!

Mi primer texto se llamó "El destí de les violetes" ("El destino de las violetas") y digo "se llamó" porque fue así: se llamó él a sí mismo. Yo jamás aprobé tamaña cursilería. Lo estrené (aquí no digo "se estrenó" puesto que me atribuyo gran parte del mérito ya que fui la directora del montaje) en uno de los festivales de teatro de Cataluña de mejor gusto: el Sitges Teatro Internacional. Buen gusto que ratificaron al año siguiente al pedirme que leyera mi segunda obra: "El pensament per enemic" (traducido al castellano como "Si fuese tú" y en inglés "If I Were You"). "El mejor texto dramático del siglo XX español, provocador en su contenido e impecable en su estructura", se olvidó de decir la crítica.

Tercer retoño: *El color del gos quan fuig* (traducido al francés como *Entre chien el Loup*, al italiano como "Il colore del canne quando fugge" y al castellano como *Pullus, el resplandor del lomo en las liebres huidizas,* el que tenéis en vuestras manos). ¿Qué decir de *Pullus* como avanzadilla? Sólo un reproche: jamás le perdonaré el haber aumentado la lista de personas a las que tengo mucho que agradecer. Se estrenó en la mejor sala alternativa de Barcelona (Sala Beckett) con dos de las mejores actrices europeas: Anna Vilas en el papel de Mujer Joven y Violeta Ferrer bordando el papel de Anciana. La impecable dirección volvía a correr a mi cargo. Dato patético-humorístico: las críticas (favorabilísimas) salieron el día después de desmontar.

Cuando en el 97 creía haber ganado la batalla a ese Mundo adverso e impertinente y renové sin complejos mi carnet de identidad, cambiando lo de "sus labores" por "dramaturga", me llamaron de la compañía La Fura dels Baus para que dirigiera a los actores del espectáculo que tenían en gira. No era la primera vez que trabajaba con la compañía. La primera fue como actriz. Por aquel entonces, me propusieron suplir a una intérprete que durante el espectáculo, tras un accidente, se había partido la nariz, los dos brazos y cada una de las perlas de su bonita boca. Me entusiasmaba la idea de seguir haciendo sufrir a mis padres, hermanos y marido. De modo que coleccioné artísticos moratones que este último gustaba de contabilizar a la vuelta de cada etapa de la gira. ¡Cómo nos divertíamos!

(Pausa.)

Pero volvamos al 97. Junto con la dirección artística, otra de mis funciones en la Fura dels Baus consistió en revisar las pocas partes de texto con que cuenta este espectáculo preferentemente visual. O sea, en reducir a añicos esas partes. Así nació el monólogo Panku y el coloquio "Seven Sins" ("Siete pecados").

Abandoné la Fura dels Baus pero no el número siete. Al poco, colaboré en la dramatúrgia del espectáculo "Set solituts" ("Siete soledades"), una nueva aventura en el mundo del teatro de la imagen. "Gotas" y "Las edades del hombre" son algunas de las aportaciones a esa empresa.

Mientras tanto, gusaneaba en mis entrañas "Beats" ("Beatos"), mi siguiente obra larga que, tras una gestación de casi 12 meses y un parto difícil, abrió los ojos (y berreó) el 1^{ero} de febrero del 99. Padre: desconocido.

Y así, llegamos al último texto: "Les nenes mortes no creixen" ("Las niñas muertas no crecen"). En este caso conocemos al padre. Me fecundó el Teatro Nacional de Cataluña, al concederme una de las ayudas que dan a la creación de textos dramáticos. Estoy en ese período horrible de náuseas y caprichos.

Tengo la esperanza que no nazca para contrariarme.

Pullus, el resplandor del lomo en las liebres huidizas. No está bien, no. No está bien que escribamos sobre nuestro propio texto. Estoy segura de que todas las dramaturgas reunidas en esta antología estarán de acuerdo conmigo en que éste ha sido el apartado más arduo en su tarea. Dos tendencias habituales: o pedimos perdón o nos sobrevaloramos. Yo que, como habéis comprobado en mi autorretrato, tiendo a la cretinez oscarwildeana, opto por la segunda. Y puestos a ello, ¿quién mejor para ensalzarme que un amigo al que tú juras no conocer de nada? Por eso a *Pullus* le ha acompañado siempre incondicionalmente esa "Nota del Traductor", porque me parece una "justa sobrevaloración" de alguien que ha amado *Pullus* en cada minuto de las muchas horas que le ha dedicado y que, por tanto, me da coba más convincentemente que la que pueda darme yo misma. A mi madre, que se está tomando la revancha por lo de mi nacimiento, y no deja de tocar las narices, le gusta más en castellano que en la lengua original, en catalán. Te debo una, Elena Gallés. Y a usted otra, Señor Montiel, quienquiera que sea.

BETH ESCUDÉ I GALLÉS

PULLUS,
EL RESPLANDOR DEL LOMO
EN LAS LIEBRES HUIDIZAS

Traducción al castellano:
ALEJANDRO MONTIEL MUES

A LA MEVA GERMANA, MÒNICA

"No hay colores: hay vicisitudes de los colores pues cada uno de ellos tiene su propia biografía. También los hay difuntos: uno de los más bellos colores jamás hallado es el *pullus*, un color muerto, desaparecido, y que al parecer correspondía al resplandor del lomo en las liebres huidizas".

Felix de Azúa, *Diccionario de las artes*,
Barcelona, Planeta, 1995, ps. 97-98.

NOTA DEL TRADUCTOR

Pese la consabida afinidad entre las lenguas catalana y castellana, un texto dramático que explota como ningún otro del que yo tenga noticia esa especialísima forma metafórica conocida como sinestesia, no carece de dificultades, empezando por el título mismo, que está tomado de una expresión muy popular en catalán, pero cuya traducción literal no haría sino desencadenar la mayor perplejidad en cualquier otro idioma. La fortuna hizo que la autora hallara en el *Diccionario de las artes* de Felix de Azúa una misteriosa referencia a un "color difunto", el *pullus*, que, descrito con ingeniosa ambigüedad, reproduce aproximadamente la idea del título original: *El color del gos quan fuig*. A imitación de los personajes de la obra, ladronas compulsivas de viejas historias, autora y traductor han decidido de común acuerdo usurpar a Felix de Azúa su resucitado *pullus* para dar título a la versión castellana de esta pieza teatral. Por otra parte, me permito recomendar al futuro traductor al alemán la palabra *Tonfarbe* ("color del sonido") que es como ellos se refieren al "timbre" sonoro.

El uso de la sinestesia, o transferencia de significado de un dominio sensorial al otro, es frecuente tanto en castellano como en catalán ("sonrisa amarga", "dolça melodia") y es fama que Litzs pedía a su orquesta de Weimar que interpretara determinadas notas de un modo "más azul", pero la originalísima y sistemática utilización de este recurso en *El color del gos quan fuig* lleva algo más lejos la "transferencia", pues la autora juega con el doble sentido del verbo catalán "sentir" (sentir, pero también oír, escuchar), de manera que construye un universo poético donde a menudo se identifican sonidos con emociones, sensaciones con sentimientos. Tales juegos de palabras podrían ser recogidos, para una edición crítica del texto, en notas a pie de página, pero son definitivamente intraducibles para la escena teatral, y puesto que no se me ha ocurrido ninguna fórmula que no resultara insoportablemente pedante, redundante o didáctica, he renunciado a todo intento de trascripción. Es preciso por lo tanto consignar que, en un texto tan autoconsciente y metateatral como el presente, uno de cuyos leimotiv es la imposibilidad de traducir las sensaciones en palabras, este traductor no sólo ha traicionado ritmos y matices, sino también una parte sustancial de la riqueza literaria del mismo, sólamente evaluable en su idioma original. En consecuencia, no tanto la fábula inventada por la autora, cuyo carácter universal es ostensible, cuanto la sutilísima ironía de la voz de Beth Escudé i Gallés es lo que el curioso lector sólo podrá encontrar enteramente en el texto original, un hermoso texto maliciosamente titulado *El color del gos quan fuig* para quebradero de cabeza de filólogos y jaqueca de traductores.

ALEJANDRO MONTIEL MUES

~ ≈ ~

Una escena de *Pullus*. Foto: Gentileza de la Sala Beckett

PERSONAJES

A   (ANCIANA)
J   (MUJER JOVEN)

(Una anciana, A, sentada en una silla, en ropa interior, quizás en bata. Entra una joven, J, con una bolsa de papel que deja en algún lugar a propósito. Silencio.)

A—¿De dónde vienes?

J—¿Cómo has llegado hasta el comedor?

A—Quiero estar lista para cuando vengan. ¿Me has hecho la maleta?

J—¿Has bajado tú sola?

A—No estabas. Quería estar preparada para cuando vinieran a buscarme y no estabas. No te oía fregar. *(Ríe.)* No estabas. He oído cómo te despertabas. Era pronto. Muy pronto. Más pronto. He oído cómo abrías los ojos. *(Reproduce el sonido de los ojos al abrirse.)* He oído cómo bajabas de puntillas por las escaleras. Pensabas muy bajito para que no te oyese. *(Ríe.)* No he podido saber adónde ibas ni por qué te habías levantado tan temprano. Hoy pensabas quedamente. Tal vez mañana escuche tus pensamientos. *(Ríe.)*

J—Mañana estarás demasiado lejos. *(Pausa.)* Disculpa. *(Pausa.)*

A—¿Me has hecho la maleta, Rut?

J—No te he hecho la maleta porque ya te he dicho que no te hace falta la maleta para nada. Y no me llames Rut.

A—No te olvides de poner el costurero de viaje. Y el neceser de viaje. Y la plancha de viaje. En la maleta.

J—No necesitarás nada de eso. Te lo darán todo allá.

A—Y el cojín para las cervicales. Me vendrá bien. *(Pausa.)* Bueno, ¿a qué esperas? Péiname, dame el masaje, vísteme y acabemos de una vez.

J—Aún no es hora.

A—¿Cuándo será la hora?

J—Tengo que fregar. Y todavía no te he limpiado el wáter.

A—¡Y eso que has madrugado! *(Pausa.)* ¿Cuándo será la hora? ¿Dentro de diez minutos? *(Pausa.)* Me aburro. *(Pausa.)* ¡Este gato! Vuelve a decirle a la vieja Adela que calle a su maldito gato.

J—Ya lo he hecho. Pero me ha dicho que es imposible que puedas oírlo. Que se escapó hace unos días y que es imposible que puedas oírlo. *(Pausa.)* Está muy triste. Teme que haya muerto.

A—¡Ojalá! Pero no. Corretea cerca de aquí. Ciento treinta metros. ¿Ciento veinte? *(Pausa.)* Me aburro. *(Pausa.)* ¡Claro! ¡A la biblioteca! ¡Ah, ladronzuela! ¡Has vuelto a la biblioteca para robar más historias! ¡Lo sé, querida Rut! Has ido a robar una nueva historia para mí, un regalo de despedida, la última historia…

J—No. No he ido a la biblioteca. No quiero robar más historias. Juramos que no lo haríamos más. No he ido a la biblioteca. Juramos devolverlas todas y dejarlas igual que las encontramos. Tú también lo juraste. Y no me llames Rut. No me llamo Rut.

A—¿Cómo quieres que te llame?

J—Por mi nombre.

(Pausa.)

A—No podemos devolverlas. No están completas. Están hechas trizas, mutiladas, corrompidas…

J—Escoliadas, resumidas, falseadas…

A y J—Masacradas, embrolladas, disecadas, apañadas, empañadas, resumidas, asumidas… *(Ríen.)*

J—*(Cortando en seco.)* Lo intentaremos.

A—¿Todas?

J—Todas. Completas. Tal como las encontramos.

A—¿No podemos quedarnos con… una? ¿Sólo con una? ¿Con una que pueda llevarme conmigo… allá? La que más nos guste. La que más nos guste a las dos. La más nuestra. No me negarás este pequeño capricho ahora que me echas de mi propia casa, ¿verdad, querida?

(Silencio.)

J—Te gustará. Tiene jardín.

A—¿Y silencio?

J—Jardín y silencio. Mucho silencio. Te gustará. *(Pausa.)* Esta noche he soñado.

A—¿Has soñado? ¿Una historia? ¿Has soñado una historia?

J—Un cuento.

A—¿Tiene algo que ver con nosotras?

J—Sí.

A—Alguna cursilada.

J—No, no es ninguna cursilada.

A—Seguro que sí. Me conozco de sobra tus sueños.

J—Bueno, pues no te lo contaré. Tengo muchas cosas que hacer.

A—¿Qué cosas? No te preocupes de limpiarme la taza del wáter. No hace falta.

J—Me importa un rábano la taza del wáter. Pero mira este suelo. ¿No suena a sucio? *(Intenta reproducir el ruido de un suelo sucio cuando se pisa, pero obviamente no lo consigue.)* He comprado un producto que deja el suelo como un espejo. Escucharás el ruido de un espejo cuando camines por él por última vez. ¡Quiclanc, chisss, quiclanc…!

A—Sólo piensas en fregar. Parece mentira que aún quede gente como tú hoy en día. *(Pausa.)* ¿Cómo se llaman las mujeres de tu estúpido cuento?

J—La nuera se llama Draupadi y la suegra Xandra.

A—Muy exótico. Has soñado una estúpida historia exótica. Una cursilada.

(Pausa.)

J—¿Quieres que te cure los ojos?

A—No. Ya no tengo ojos. Esta noche he oído cómo resbalaban hacia adentro.

J—¿Hacia adentro? Déjame ver. *(La mujer* JOVEN *levanta los párpados de la* ANCIANA *y le examina las cuencas de los ojos detenidamente.)* Parece que avanza la enfermedad...

A—¿Están?

J—Veo algo amarillento, pero muy atrás.

A—Esta noche he oído cómo resbalaban. Resbalaban poco a poco, con dificultad, raspando las paredes de las cuencas. Ahora veo el interior. Nada nuevo. Es violeta, como todo lo demás. Una violeta tan áspera como el mundo de fuera. Resbalaban poco a poco. Nada les impedía deslizarse, pero las paredes estaban tan resecas...

J—¿Qué ruido hacían? ¿Era blando? ¿Elástico?

A—Sabes que no podré describirlo, maldita.

(Pausa.)

J—¿Te hacía daño?

A—Ya sólo me fastidia el ruido. No escucho el dolor. Sólo el puñetero ruido y la rabia de no poder describir ese ruido. Si al menos dejara de escuchar cómo se me rompe el cuerpo. Sería un alivio... Sólo con que pudiera traducirlo en palabras para explicar los detalles... No sé, quizás así la desgracia se perdería en los detalles. *(Pausa.)* Me aburro. Péiname, dame el masaje, vísteme y acabemos de una vez.

(La mujer JOVEN *desenvuelve un cepillo del pelo de un pañuelo de seda y peina a la* ANCIANA. *De vez en cuando, la mujer* JOVEN *arranca sin querer un mechón de los cabellos de la* ANCIANA, *la cual no parece darse cuenta de ello. La mujer* JOVEN *se guarda subrepticiamente los cabellos en los bolsillos. Pausa.)*

J—"En los días en que juzgaban los jueces, hubo hambre en Palestina..."

A—¿Qué? ¿Qué haces?

J—Debemos devolverlas todas.

A—No. La de Rut y Noemí, no. La necesitaré. ¡No! *(Llora.)*

J—No nos queda tiempo, mujer. Te vendrán a buscar enseguida. No nos queda tiempo. No intentes hacerme creer que estás llorando. Sé que ya no tienes lágrimas. Acabo de verlo. Y debemos devolverlas todas, todas. *(La* ANCIANA *deja de lloriquear.)* "En los días en que juzgaban los jueces, hubo hambre en Palestina. Fue así como Elimélek se vio obligado a abandonar Belén, su patria, a causa de una gran carestía. Tomó a su mujer, Noemí, y a sus dos hijos, y se dirigió a los campos de Moab, donde se estableció. Murió Elimélek, y Noemí casó a sus dos hijos con dos mujeres moabitas, Orpá y Rut. Y residieron allí diez años. Murieron también sus dos hijos, y Noemí quedó sola en una tierra extraña. Entonces decidió regresar con los suyos, pues había oído que el Señor había dirigido de nuevo la mirada sobre su pueblo y le daba pan. Y se puso en camino hacia Belén, pero al ver que sus dos nueras le seguían, se detuvo y dijo:"

A—*(Mecánicamente.)* " 'Andad, volveos cada una a casa de vuestra madre. Que el Señor tenga piedad con vosotras como vosotras la habéis tenido con los que murieron y conmigo. Que el Señor os conceda encontrar una vida apacible en la casa de un nuevo marido' ".

J—"Y las besó. Orpá rompió a llorar y regresó sin volver la vista atrás. Pero Rut todavía la seguía".

A—" 'Regresa, hija mía. ¿Por qué has de permanecer conmigo? No insistas. Mantenerte a mi lado me produciría demasiado pesar. La mano del Señor se ha levantado contra mí'. Pero Rut se quedó conmigo diciendo:"

J—" 'Donde tú vayas, iré yo. Donde tú te detengas, yo me detendré. Tu pueblo será mi pueblo. Donde tú mueras he de morir yo, y allí seré sepultada' ".

A—¡Tozudita, la moabita! Le complacía eso de esclavizarse a su suegra. Porque Rut era una mujer virtuosa, fiel, un poco aburrida y fascinada por los productos de limpieza. En especial por aquéllos que dejan el suelo como un espejo. Ceralín, Pavicer líquido... Ésos la volvían loca.

J—No. Debemos devolverla tal como es. Sin escoliarla, pervertirla, empañarla...

A—Pero si la estoy devolviendo tal como es, tal como ha sido...

J—No. No quieras confundirme... No era así... No fue así...

A—Además, no quiero devolverla. No podemos devolverla. ¿No ves que nos quedaríamos sin nada, tonta? ¿No te das cuenta de que sería como si no nos hubiéramos conocido? El día de hoy no tendría sentido. No podría irme. Y tú quieres que me vaya, ¿verdad? Si deseas un final, necesitamos una primera historia para comenzar. Las demás, las devolveremos, te lo juro. Nos quedaremos con dos historias, sólo con dos historias. La primera y la última, ¿lo entiendes, querida? Sólo nos falta encontrar la del final... Y no disimules, sé que se me cae el pelo, aunque no lo vea. *(La JOVEN saca algunos mechones de sus bolsillos y, disimuladamente, los tira al suelo.)* Sólo nos falta la historia final. Incluso podemos devolver parte de la de Rut. Como cuando te casas con Booz. De hecho es una cursilada. Nos quedaremos con la historia hasta ese pasaje tan bonito y tan nuestro que dice: "Rut y Noemí llegaron a Belén, y al entrar en la ciudad las mujeres exclamaban:"

J—*(Mecánicamente.)* " 'Mirad, ¿no es ésta Noemí?' "

A—" 'No me llaméis Noemí, llamadme Mara, la amarga, porque el Omnipotente me ha llenado de amargura. Partí colmada y he vuelto vacía' ". *(Pausa.)* Hasta aquí. El resto, sobra. La devolveremos a los libros, o a quien haya que devolverla. Pero deja que me quede con el nombre de Mara. Es tan mío como suyo. No me lo quites.

(Pausa.)

J—Pero yo fui feliz con Booz... A mí me gusta mucho ese episodio...

A—Bah, cursiladas. Si quieres puedes quedarte con eso de que fuiste la abuela de David.

J—No. Eso no me importa. Yo... yo fui feliz con Booz... No quisiera olvidarlo...

A—¿Ves? ¿Ves como es imposible devolverlas, tonta? *(Pausa.)* Venga, vamos, devuelve tu recuerdo de Booz. *(Pausa.)* ¿Qué? ¿La devolvemos?

(Pausa.)

J—Sí, sí... La devuelvo... La devuelvo.

(Pausa breve.)

A—Me aburro. ¿Es la hora ya de mi masaje?

J—No, todavía no.

A—Y ¿de qué es la hora?

J—Es la hora del té. *(Pausa.)* Pero deberíamos devolver las demás. Hay otras que devolver...

A—¿Tiene jardín? *(Pausa.)* ¿Jardín? ¿Tiene?

J—Desde luego. De eso me acuerdo muy bien. Un jardín muy bonito. Con piedrecitas. Tapizado de piedrecitas.

A—Hacen ruido. *(Pausa.)* Hacen ruido cuando caminas. Y no siempre tienes ganas de escuchar el ruido de las piedrecitas cuando caminas. Tal vez sólo quieras pasear y nada más que pasear. No pasear al mismo tiempo que escuchas el ruido de las jodidas piedrecitas.

J—Y luciérnagas al anochecer.

A—¿Muchas?

J—Muchas. A rebosar.

A—Harán mucho ruido. Tantas luciérnagas, harán mucho ruido.

J—No. Las luciérnagas hablan con palabras de luz. *(Pausa.)* Te encontrarás bien allí. Y no tendrás que limpiar la taza del wáter. Todos los días te preparan la comida, te hacen la cama y te limpian la taza del wáter por dentro y por fuera.

A—¡Mmmm! *(Pausa.)* La vieja Adela me ha dicho que dan pastas para merendar. ¿Es cierto? Que parecen hechas en casa, pero que no, que son *Molino Blanco, Estrellitas.* *(Pausa.)* Aunque, la verdad, yo no sé como sabrá esa vieja lo de las galletas... ¡Si no ha estado nunca! Mentiras. Se ha hecho vieja de un año para otro. ¿Sabes qué me ha dicho? "Bendita tú, a quien el Señor ha concedido en la lobreguez de tu ceguera una nuera que te quiere y que vale para ti más que siete hijos". Siempre con la puta religión en la boca. Dice que todavía no sufre la enfermedad violeta, que todavía ve los otros colores, que todavía distingue perfectamente los perfiles. Mentiras. ¡Si está clarísimo que está en las últimas! Ayer, sí, ayer sin ir más lejos, oí cómo una lágrima seca le caía dentro de su café con leche descafeinado de sobre. *(Reproduce el ruido de una lágrima seca al caer dentro de una taza de café descafeinado de sobre. Pausa.)* Me costará acostumbrarme. No me gustará. No quiero ir. No me obligues a ir. Estará lleno de viejos. Gemidos y mentiras de viejo todo el día. Y por las noches, en medio de un silencio de viejos, escucharé el crujido de dientes podridos, lo sé. Escucharé cómo se desprenden de las encías para caer desde las encías a la almohada, desde la almohada a las sábanas, y cómo se deslizarán por las sábanas para acabar rodando por el suelo. ¡No, gracias! ¿No tengo bastante con mis propios dientes podridos y los de la vieja Adela como para tener que escuchar el ruido de los de centenares de viejos? Y luego el maldito ruido de las piedrecitas, que tanto recuerda al ruido de los dientes. Todas las mañanas pasearé por un jardín tapizado de dientes.

J—Tendrás con quién hablar…

A—Sí, sobre marcas de colirio para ojos resecos de viejo, sobre marcas de pegamento para dentaduras de viejo…

J—El paisaje es muy bonito. Alguien te describirá el paisaje…

A—No hará ninguna falta. Me lo puedo imaginar. Cánceres en lontananza, pubis ralos, caudalosos ríos de orina lenta… ¡Un paisaje espléndido!

J—Si no estás a gusto en compañía, siempre podrás retirarte a tu habitación…

A—¡Individual!

J—¿Cómo? Quizás no al principio, pero si se queda una vacía seguro que te la darán.

A—¿Vaciarse? ¿De qué? Nunca se vacían. Más bien se llenan. Todos los días traen centenares y centenares de viejos y de dentaduras de viejos que van abarrotando las habitaciones. Cómo podría vaciarse un lugar así, dime. En ese lugar uno no se muere, ya llega muerto. Allí sólo se va para pudrirse, si es que le queda a uno aún algo sin pudrir.

J—No. No. Construyen continuamente pabellones anexos y acomodan allí a los que van llegando… Es muy probable… seguro que tendrán habitaciones individuales…

(Pausa.)

A—Ah. Bien. Pues quiero una individual, ¿me oyes? *(Pausa.)* Qué vas a oír tú. El gato de esa vieja bruja está cruzando el bosque…

J—¿Sí? Voy a avisarla…

A—Déjalo. *(Pausa.)* Se aleja. Escucha. *(Pausa.)* Va hacia el riachuelo. Ojalá se ahogue. Espera. *(Pausa. Reproduce el ruido de un gato que se *hunde en el agua.)* ¡Ajajá! ¡Chop! ¿Lo has oído? *(Reproduce el ruido de un gato muerto ahogado, y ríe.)*

J—Eres cruel. Pobre Vieja Adela.

A—*(Ríe.)* ¿Quién eres tú para hablar de crueldades? ¿Tú, que me obligas a abandonar mi casa? ¿Tú, que crees que es piedad esconderte en los bolsillos los cabellos que se me caen? *(Pausa.)* Mi pequeña niña, hija mía, no sabré pasarme sin ti. Querida mía. *(Lloriquea.)* No podré sentirme sola de este modo, sola como cuando estoy contigo. No quiero ir allí. ¿Quién mirará por mí, por mis ojos? Te necesito, ¿entiendes? No quiero irme.

J—No podemos echarnos atrás... *(Pausa.)* Debes ir. Estarás mejor que aquí ¿sabes? Te limpian la taza del wáter por dentro y por fuera, te describen el color del crepúsculo, y creo que lo de las galletas es verdad, y..., y te curarán. Unos hombres con bata del color de la arena te curarán. Son especialistas en la enfermedad violeta... Y yo..., yo te vendré a ver pronto, si quieres, muy pronto, si tú quieres... "Donde tú vayas, iré yo".

A—*(Deja de lloriquear)* No hace falta. Puedo prescindir perfectamente de tu mirada retrógrada. Me libraré de oír siempre fregar el suelo, hora tras hora, y hasta de oír mis pisadas sobre el espejo del suelo. ¿Para qué cojones vas a venir conmigo? Que el Señor te conceda encontrar la felicidad con un nuevo marido de una puta vez.

J—No quiero un nuevo marido. Fui feliz con tu hijo, Mara.

A—No me llames Mara. Llámame Hécuba. *(Pausa. La JOVEN se queda mirándola.)* ¿O qué? ¿Tendremos que devolver también la historia de Hécuba y Andrómaca, querida? Hemos dicho todas. Tenemos que devolverlas todas, querida. También tu historia de amor fiel a Héctor. ¡Mi virtuoso hijo y su esposa ejemplar! ¿Qué pasa, Andrómaca, niña? Vamos, adelante. No me llames Mara, llámame Hécuba.

(Pausa larga.)

J—Es la hora del masaje.

(La JOVEN desnuda a la ANCIANA con sumo cuidado.)

A—Me has reventado la vena mesentérica inferior.

J—Lo siento.

A—¡Mmmm! Héctor ha muerto, hija mía. Tu llanto no le hará regresar a la vida. Olvídalo. Con las mismas virtudes que le amabas y de las que aún te enorgulleces, intenta complacer a tu nuevo esposo. ¡Uff! Me has reventado otra vena.

J—Lo siento. *(Pausa.)* Fui feliz con tu hijo Héctor, Hécuba. Siempre procuré ser una esposa impecable. Le hacía el presente a Héctor de unos ojos tranquilos, de una compañía silenciosa. Aprendí a resistirme a sus deseos cuando era preciso, pero sabía dejarme vencer en el momento

oportuno. La honestidad me llegaba desde el fondo del corazón, y nunca acepté otra guía que mi propia conciencia. Sabes que sólo quería para él la felicidad, y para mí sólo la reputación de una esposa perfecta.
A—Estúpida.
J—Le quería.
A—Estupidísima cursilona.
J—Le quería y morí por él.
A—¿Moriste, dices?
J—Lo intenté.
A—Pero sin conseguirlo. No falsifiques, mutiles, corrompas, apañes...
J—Conseguí catar la muerte.
A—Pero fui yo quien "consiguió" devolverte a la vida.
J—Conseguí catar la muerte.
A—Yo intenté que probaras una nueva vida.

(*Pausa. La joven coge un frasco azul y vierte aceite en sus manos. Hasta el final de la obra le dará un masaje a la anciana, sin dejar el más mínimo resquicio de su piel sin aceite.*)

A—Me gusta que me toques porque sé que te da asco. Siempre te ha dado. Todavía recuerdo el primer masaje. Comenzaste por los pies. ¡Te daba tanto asco! Seguro que ahora debe de darte más. ¿Oyes el ruido de la piel cuando se desengancha de la carne? A mí, la verdad, ha acabado por hacerme cierta gracia. (*Reproduce el sonido de la piel desenganchándose de la carne.*) Este aceite es nuevo.
J—¿Qué?
A—Este aceite es nuevo.
J—Sí. ¿Cómo lo sabes?
A—Por... el olor.
J—Ya no notas los olores.
A—Por el tacto.
J—Ya no notas las texturas.
A—Por el sonido, estúpida. ¿Por qué va a ser? Por el ruido que ha hecho tu anillo al chocar contra el vidrio. Es un vidrio distinto. Azul. Puedo reconocer el sonido del anillo de Héctor cuando choca contra cualquier cosa y contra cualquier color. Durante seis meses he estado escuchando el ruido de ese jodido anillo de Héctor chocando contra el frasco púrpura. Por cierto, deberías quitarte el anillo de Héctor para darme el masaje. No es... profesional. Deberías quitártelo.
J—Eso nunca.
A—Mi hijo era un imbécil, Andrómaca.
J—No. Me hizo feliz.
A—La única felicidad que obtuviste de mi hijo fue durante su enfermedad. Ya que nunca te permitió ser un demonio entre las sábanas,

te dio la oportunidad de ser una santa a los pies de su cama. ¿No te aburrías, niña? Desde el primer momento, desde el primero, cuando aún no había terminado de salir de entre mis piernas, supe que no había parido un buen amante. Pasó del húmedo confort del útero a este mundo de espinas y productos de limpieza sin rechistar, sin reivindicar siquiera su condición parasitaria de feto satisfecho. Se conformó en seguida. "Agárrate a la teta" y se agarraba, el bendito. No le crecieron ni los dientes ni las uñas hasta los dos años. De hecho, nunca le crecieron ni los dientes ni las uñas. No lloraba por las noches y no contrajo más que enfermedades vulgares. Sólo lombrices intestinales, y, muy de ciento en viento, muyyyyyy de ciento en viento, tenía el culo escocido como cualquier criatura. Nada que valiese la pena, nada prometedor. De ningún modo podía hacerte feliz, querida. Porque, después de todo eres una mujer, ¿no? *(Silencio.)* Bien. Al final, no sé si lograré llevarme conmigo la buena historia que necesito llevarme. Contigo no se pueden escribir buenas historias. Y todavía menos un buen final. Llevo toda la vida intentándolo. Eres francamente insípida y aburrida. Acabaré yéndome con la maleta vacía.

J—¿Y qué hay de mi muerte? Sí, fuiste tú. Tú fuiste quien no me dejó morir con él...

A—Por cierto, también deberías devolver esa historia...

J—No, ésta es mía. No tengo por qué devolverla. Es mía y la única que poseo en la que tú no juegas ningún papel. Ésta me cuenta a mí. Y la conservaremos. Nos quedaremos con tres historias. Sólo tres. La mía sería buena si me hubieras dejado morir, si no me hubieses escuchado morir. "La suerte estaba echada. La joven se había escondido en la azotea para que el maldito oído de la ciega no escuchara cómo se desgarraban sus venas..."

A—Ya ves. Mi maldito oído no constituye una desgracia exclusiva-mente para mí. "La vieja ciega, desde el saloncito, escuchó cómo corría la sangre desde la muñeca hasta la yema de tus dedos y cómo goteaba hasta el suelo, y desde el suelo hasta las canalones del muro. Y cómo a través de los desagües se extendía el rumor insoportable de la sangre fluyendo por el esqueleto de la casa. Rumor de una muerte estúpida". Y te salvé. ¿Pero en verdad te salvé? *(Ríe.)* ¿Éste es el final que pretendes que dé cuenta de nuestras vidas? ¿Un suicidio por amor? Desde luego, querida, se trata de un final previsible, insignificante, cursi, retrógrado, fácil y flácido... o, digamos, poco contemporáneo. Pensabas que te honraba este final, pero ya ves que, en los tiempos que corren, más bien te desprestigia. Nadie escribiría tu historia, querida, nadie te la robaría. Y si no hay ladrones, no hay historias...

J—¿Por qué? Dime, ¿por qué tengo yo que ser igual que tú? ¿Por qué tengo que ser como tú, una mujer con colmillos por todo el cuerpo? ¿Por qué no se puede morir por un hombre? Y, sobre todo, ¿por qué no se puede morir con él? ¿Por qué no me permitís ser esclava y víctima del hombre al que amo y consentís que lo sea de la mirada de una ciega, de un tiempo y de unos principios que no son los que ha escogido mi conciencia?

A—Porque la conciencia, la conciencia tranquila, no tiene nada que ver con la felicidad, querida...

J—Quiero vivir de la felicidad que me proporciona el suelo de mármol de mi palacio, un suelo fregado con un maravilloso producto que lo deja como un espejo. Y que ese suelo sea la alfombra que yo extiendo para que mi marido la recorra hasta mi cama. Como Andrómaca. Y, como Rut, quiero levantar por las noches la manta de la cama donde duerme mi marido y tumbarme a sus pies para esperar a que él me diga lo que quiere...

A—Hablando de mantas. Quizás haga frío. Ponme el chal en la maleta.

J—¡No necesitas maleta! ¡Ya te he dicho que no te hace falta ninguna maleta! ¿Quieres un buen final, vieja? ¿Quieres uno bueno de verdad?

A—Hará frío. Ponme el chal en la maleta, querida.

J—No me llames querida... ¡Basta! (*Pausa.*) Llámame Draupadi.

A—Hará frío. El chal.

(*Silencio. La* JOVEN *vierte de nuevo aceite en sus manos. Le unge el sexo.*)

A—¿No te da asco? Un masaje muy completo, querida. Nunca te habías esmerado tanto. ¿Es una técnica nueva? ¿No te da asco?

J—No.

A—Lástima. ¿Ni miedo? ¿No te dan miedo los dientes?

J—Allá no necesitarás el chal. No hace frío. Se está siempre a la misma temperatura. Unos veintiséis o veintisiete grados. Y, ¿sabes? No se suda. Puedes llevar el mismo vestido tantos días como quieras. No necesitarás más que uno. Ninguno más.

A—Blanco.

J—Blanco. El que quieras. No se ensucia. El aire es puro, no como aquí. Te encontrarás muy a gusto. ¿Te he dicho que limpian la taza del wáter por dentro y por fuera una vez al día?

A—¿Quizás dos veces al día?

J—Y a veces tres. Por dentro y por fuera.

(*Silencio.*)

A—No llores. ¿Por qué lloras? Te he dicho que no llores. No puedo soportar que llores, ni siquiera interiormente y en silencio. ¿No tengo bastante con estar oyendo día tras día cómo se me cuartea el cuerpo, como para que, además, tenga que escuchar todos los humores del tuyo? ¡Silencio!

(Silencio.)

J—¿Qué te pasa? ¿Tiemblas?

A—Escucho un ruido...

J—¿Cómo es?

A—Sabes que no podré describirlo, maldita... Calla... Ni siquiera lo reconozco...

J—¿El gato?

A—¡Chisss! No..., es nuevo... *(Pausa.)* Tengo miedo...

J—¿Vienen? ¿Están cerca? ¿Kilómetros? ¿Metros?

A—Tengo miedo. Metros. Sí. Llámame... Xandra... O como cojones me llame. De prisa, llámame Xandra.

J—¡No! *(Pausa.)* ¿Tan pronto? No. Aún queda tiempo.

A—No. Venga, cuenta tu jodido cuento estúpido. Vamos, Draupadi.

J—"Draupadi era la mujer más feliz del mundo el día de su boda. Su marido era pobre, pero tenía labios en los brazos y besos escondidos detrás de las orejas, en las axilas, entre los dedos de los pies..., y Draupadi se divertía buscándolos a todas horas. Pero lo que más le gustaba a la joven esposa era que su marido existiese y que ella pudiera abandonarse a él. La miseria les obligó a ir a vivir con la madre del novio, que era viuda y tenía un bonito nombre: Xandra. Xandra era buena y respetuosa con Draupadi. Sólo tenía un defecto: existía, y aquella vieja existía mucho. Que existiese Xandra ponía en evidencia que existía también ella misma, y Draupadi quería que sólo existiese él. Pero el marido, un mal día, murió, y a consecuencia de aquel vacío, la presencia de Xandra se multiplicó y se expandió por toda la casa. Entones Draupadi decidió matar a su suegra.

"Había en la villa un viejo herborista de renombre al que los lugareños acudían cuando les oprimía el corazón por algún motivo. Draupadi robó su miserable dote y se dirigió a la tienda del herborista para que le proporcionase un veneno.

" '¿Cuál es el motivo del asesinato? ¿Crimen pasional? ¿De negocios? ¿Político?', preguntó el viejo tras escuchar la petición de Draupadi.

"La joven no sabía exactamente qué contestar. Nunca se había planteado que pudiese haber otro motivo para matar que la mera voluntad de hacer desaparecer. Pero como lo que le dolía era el corazón, decidió que probablemente el asesinato era de tipo sentimental.

"El herborista se dirigió a uno de los anaqueles y le ofreció tres frascos de tres colores diferentes. Acariciando el frasco de color verde, le dijo:

" 'Éste es el aceite de Bérzolas. Mata al instante. Se aplica en los lóbulos de las orejas, en la palma de la mano o en el sexo. Su uso es frecuente entre gente joven, que no dudan ni por un momento de que lo que sienten entonces será lo que sentirán de por vida. Lo usan con los

amantes, con los padres, con los amigos y con los maestros indistinta-
mente. Todos son posibles víctimas de sus pasiones momentáneas.
Existe un antídoto para este aceite. Pero debe aplicarse antes del segundo
cuarenta y cinco. El antídoto, naturalmente, se regala con la compra del
aceite de Bérzolas, aunque el cliente lo rechace como una ofensa a la
seriedad de sus propósitos. Y es que el antídoto se usa con igual pasión
que el veneno, y con más frecuencia de lo que pueda pensarse. Se utiliza
casi en un noventa y seis por ciento de los casos y con una rapidez de
reflejos sorprendente. El cuatro por ciento restante no lo usa, pero no
por falta de ganas o de reflejos. A veces, más a menudo de lo que
desearíamos, ocurre que el tapón está en mal estado y no se logra abrir
a tiempo. Cosas que pasan. (*La* ANCIANA *sonríe.*)

" 'Éste es aceite de Florencia', dijo, mostrando un frasco azul. 'El
aceite de Florencia tarda unos veinte minutos en hacer efecto. Lo usan
habitualmente los amigos, familiares o amantes que calculan que
necesitan unos veinte minutos aproximadamente para decir a la persona
amada todo lo que no han podido decir en años de relación. Es
característico de aquéllos que sólo abren su corazón ante un lecho de
muerte. Cuando escuchéis algún asesino que le dice a su víctima:
—¡Lástima, hubiera querido decirle tantas cosas!— seguro que no conocía
el aceite de Florencia. Se aplica por todo el cuerpo, sin dejar ningún
rincón de la piel sin aceite. Cuando el último poro de la piel del cuerpo
quede cubierto por el ungüento y se agote el último minuto, la víctima
morirá'. El viejo herborista tomó el último frasco, uno de color púrpura.

" 'Y éste es el aceite del *Cercis Siliquastrum*, el árbol del amor y de
Judas. Mata muy poco a poco y con traición alevosa.

" 'Va consumiendo a la víctima lentamente, como lo hace la naturaleza, y lo utilizan habitualmente los clientes que han vivido una vida
jalonada de pérdidas con la persona en cuestión. El veneno actúa del
mismo modo que lo ha hecho la vida sobre su espíritu, por eso se llama
del amor y de Judas, porque la caricia deviene traición, porque aquello
que te da la vida te da al mismo tiempo la muerte. El perfil del cliente
que lo solicita es el de alguien simple y despiadado como la naturaleza,
y que no ama las historias extraordinarias. Se aplica mediante ligeros
masajes en las extremidades superiores e inferiores. Para estos dos
últimos aceites… (*Pausa.*) …no existe antídoto. ¡Ah!, y no hay por qué
preocuparse, porque, por descontado, son inocuos para la piel del
asesino' ".

A—"A pesar de que Draupadi deseaba librarse rápidamente de la
gran presencia de su suegra, no podía soportar la idea de tocar el cuerpo
entero de la vieja sin dejarse ningún resquicio. Se imaginaba ungiéndole
el sexo y sentía miedo. (*La* JOVEN *se detiene por unos momentos. Observa
a la* ANCIANA *con extrañeza. Después, continúa con reparos el masaje.*) No
sabía por qué, pero había imaginado que tendría dientes entre las

piernas. No sabía por qué. Quizás Draupadi lo había robado de algún libro. De modo que descartó enseguida el aceite de Florencia. Y, además, el *Cercis Siliquastrum* se adecuaba mejor a las características de su relación".

J—¿Cómo sabes el cuento? Es mío. Lo he soñado.

A—Te siento los sueños... y los deseos.

J—¿Por qué no me has dicho nada? ¿Por qué me has dejado...?

A—Porque es una buena historia. *(Pausa.)* Me iré satisfecha. Vamos, acaba, se hace tarde. "Llegó a casa y se aplicó sin demora a dar un masaje en los pies..."

J—"...a Xandra, que no se sorprendió de la generosidad de Draupadi. Diariamente recibía encantada sus caricias, y Xandra también diariamente regalaba a Draupadi una historia antigua, una historia de amor y de pérdidas que tuviera que ver con ellas. Draupadi acariciaba aquella piel de papel con repugnancia, porque oía cómo se desenganchaba y sentía cómo los músculos se deshacían bajo las palmas de sus manos, pero, cada día más, crecía en ella una incomprensible apetencia de acariciar a Xandra. La vieja se consumía lentamente, los cabellos se le caían por manojos, se oía cómo sus huesos se astillaban, cómo los ojos se deslizaban por sus cuencas, cómo los dientes se desprendían de las encías. Y, sin embargo, todas aquellas ausencias reforzaban aún más la presencia de aquélla a quien, ahora, extrañamente, amaba".

A—"Aquella mañana, de madrugada, antes de que su suegra se despertara, salió a escondidas de la casa y se dirigió hacia la tienda del herborista para comprar aceite de Florencia, aquél que mataba en veinte minutos. No se le ocurría otra solución para acabar de una vez con la agonía de la vieja y con la de su propio espíritu. Aquel aceite le permitiría contar por última vez las viejas historias y leyendas de amor y de pérdidas que Xandra le había enseñado a hurtar". *(Pausa.)* Ya están aquí.

(La ANCIANA mira a la lejanía. La JOVEN viste a la ANCIANA con un vestido blanco.)

J—"Y mientras le aplicaba aquel último masaje, con virutas de piel entre las uñas y cabellos en el bolsillo, Draupadi le describió el paisaje de la muerte tal como ella recordaba haberlo visto cuando se sintió morir tiempo atrás".

A—Tenías razón. Tiene jardín y las jodidas piedrecitas. Pero no las escucho.

(Pausa.)

J—Quizás esas piedrecitas, de tanto convivir con las luciérnagas, han aprendido a expresarse con palabras de luz.

A—Cursilerías. *(Pausa.)* Y, rediós, míralo, ¡el gato de la vieja Adela completamente mojado! Maúlla en silencio y con los pulmones llenos de agua. ¿Le dirás a esa vieja que deje de buscarlo? *(Ríe.)*

J—Lo siento.

A—No lo sientas. Me costará acostumbrarme, pero me gustará. Es muy silencioso.

J—No. No es eso lo que me apena. Ha sido bonito y cursi matarte a caricias. No. Sólo siento haberte engañado. No sé si te limpiarán la taza del wáter por dentro y por fuera…

A—¿Y lo de las galletas en la merienda?

J—Tampoco. Lo siento.

A—No es culpa tuya. No te dejé pasar del vestíbulo. De hecho, me alegro más que nunca de no haberte dejado entrar. Has escrito una buena historia. Todo tiene sentido ahora. Es hermoso.

J—¿Ves a los hombres de la bata de color de arena?

A—Sí, los hombres de la bata de color de arena, exacto, y pabellones anexos, y muchos viejos, niña. Asqueroso. Me lo figuraba… *(Pausa. Mira a la JOVEN.)* ¿Crees que se escribirá esta historia? ¿Verdad que se escribirá?

J—Quizás alguien, algún día, aprenda a describir con palabras el sonido de las historias…

A—¿Qué? No te oigo, querida. No dejes de tocarme…

(En un murmullo. Mirando a la lejanía.)

J—Individual.

TELÓN

PALOMA PEDRERO
(1957-)

La madrileña Paloma Pedrero Díaz-Caneja sobresale como una de las autoras más reconocidas en la dramaturgia del teatro contemporáneo español de las dos últimas décadas; su nombre y su obra dramática traspasan las fronteras de España. Autora de más de una docena de piezas, la mayoría de las cuales han sido traducidas al inglés, francés y alemán, Pedrero ha logrado estrenar gran parte de sus obras en España y otras tantas en el extranjero, superando así unas de las dificultades más perjudiciales con las que se encuentran los autores de teatro. Ha recibido numerosos premios, entre ellos se destacan el Segundo Premio de Teatro Breve de Valladolid (1984) por *La llamada de Lauren,* Premio al Mejor Autor en el Festival de Otoño de Madrid (1994) por *Noches de amor efímero,* el Tirso de Molina (1987) por *Invierno de luna alegre,* y el accésit en el Ier Premio Nacional de Teatro Breve de San Javier (1987) por *El color de agosto.* Desde 1982, se dedica plenamente al teatro, ya sea como dramaturga, actriz, maestra de escritura teatral, directora de escena o empresaria teatral.

Debido a la versatilidad artística que despliega en todas las facetas del arte teatral, su obra refleja no sólo un conocimiento íntimo del género dramático, sino también un compromiso dinámico y total con la sociedad de su tiempo a través de la escena. Pedrero hace un esfuerzo concienzudo por revitalizar el interés de los jóvenes por el teatro, por conectarse con las preocupaciones y las inquietudes de una generación afligida por el enajenamiento, la confusión y la incompatibilidad entre los valores tradicionales y la realidad actual. A través de un estilo realista y directo en el que subyace un sugestivo destello poético, la dramaturga recrea un mundo desgarrado y lleno de contradicciones. Una sólida configuración del texto dramático, reforzada con planteamientos estéticos comunes, define sus obras. Pedrero engendra personajes verosímiles y cautivadores, que viven en el aquí y el ahora y se expresan con una jerga callejera de un registro idiomático joven. Estos individuos que surgen de clases económicas y sociales distintas suelen actuar llevados por un íntimo sentido de la libertad mientras luchan por reclamar una identidad propia y por encontrar sentido a un mundo disparatado y caótico. El teatro de Pedrero logra captar el drama del vivir diario; lo imbuye de pasión, lo nutre con amor y buen humor, y así lo transforma en una forma artística que es a la vez personal y universal, secular y poética, inquietante y esclarecedora, provocadora y gratificante.

Entre las características más distintivas de su teatro sobresale un planteamiento estético conscientemente femenino que nos permite vislumbrar un mundo interior desconocido hasta hace muy poco en la dramaturgia española. Su teatro se alimenta de las experiencias vitales de la mujer moderna, que en este momento clave de su desarrollo político y social, rechaza unos registros femeninos incongruentes y negativos del pasado, mientras que a la vez rescata y restaura el derecho de la mujer a ser tan complicada, multidimensional y problemática como su homólogo masculino.

El teatro de Pedrero nos ofrece una visión personal de entender la realidad actual y se empeña no sólo en divertir sino en conmover y provocar al espectador. En gran parte de sus obras, la autora se centra en las variadas facetas de la experiencia erótica para así explorar las complejidades de las relaciones humanas. Su obra choca contra los cánones establecidos y aborda abierta y desafiantemente temas tan polémicos como la búsqueda de la identidad sexual, el desajuste entre la libertad personal y el compromiso afectivo, la dificultad en establecer relaciones íntimas equilibradas, y la manifestación íntima y reveladora de la experiencia femenina erótica y sexual. De muchas maneras Pedrero ha extendido los parámetros del teatro realista para incluir, replantear y aun parodiar algunas "vacas sagradas" de la tradición cultural y literaria española. Desde una óptica ginecéntrica, Pedrero desafía los paradigmas tradicionales de la mujer en la escena, e intencionalmente evita la polarización del personaje femenino. Pedrero crea un reparto de mujeres complejas y ambivalentes, enardecidas por pasiones conflictivas y comportamientos no ortodoxos, las cuales trascienden los parámetros políticos establecidos tanto por la izquierda como por la derecha.

En 1996 Pedrero estrena la comedia *Locas de amar* en el Centro Cultural de la Villa en Madrid. La autora entabla la discusión sobre el abandono y el divorcio, el sexo, el amor, y la experiencia erótica de la pareja heterosexual moderna con ironía, humor y un toque de cinismo. La pieza comienza con la crisis psicológica de Eulalia, una madre gordita, ama de casa y cuarentona, quien después de veinte años de matrimonio se encuentra abandonada por su marido Paco y desplazada por una nueva y jovencísima amante. Desolada y desesperada, Eulalia decide hacer una huelga de hambre hasta morir y así "vengarse" de su marido. Gracias a la insistencia de su hija Rocío, Eulalia conoce a un joven sicólogo Carlos, quien, después de unas intensas sesiones de terapia, le ayuda a recobrar no sólo una perspectiva más equilibrada de sí misma sino también a descubrir lo que no había conocido durante todo el matrimonio: el orgasmo sexual. A través de un intercambio comiquísimo de parejas entrecruzadas y de inesperadas combinaciones de triángulos amorosos, *Locas de amar* refleja la irracionalidad funda-mental de lo que hoy en día se entiende como "amor". En el proceso indaga en cuestiones de identidad y de poder femenino, y en factores culturales y políticos que influyen directamente en la dinámica de la pareja moderna. A través de la parodia, Pedrero recalca la obsesión de esta sociedad con la belleza femenina, la juventud y la esbeltez, al mismo tiempo que subraya el desajuste entre la realidad y la imagen idílica de la mujer, y el aprecio o el desprecio de la mujer según la edad, el peso y la belleza física.

La autora desarrolla el aspecto humorístico de _Locas de amar_ a través de un juego sutil entre la realidad y la sátira, y entre la costumbre y la sicología moderna. Además, ofrece unas resoluciones inesperadas y fuera de lo normal a situaciones convencionales. Sin duda, uno de los aspectos más sólidos de la obra es el desenlace. De la multitud de posibilidades, la autora rechaza el final feliz de la tradición romántica: Eulalia no regresa con el esposo pródigo y arrepentido, ni tampoco se escapa con su amante joven y guapo. También rechaza el final reivindicativo feminista: Eulalia no renuncia eternamente a los hombres, ni tampoco opta por vivir sola por el resto de su vida. La autora se decide por un final abierto que resuelve el conflicto al no resolverlo. Es decir, le brinda un porvenir incierto; pero dentro de esa incertidumbre late una esperanza para Eulalia: la de poder escoger, experimentar, explorar, acertar, y también de equivocarse. Mientras Eulalia va conociendo mejor su rol multifacético de mujer, madre y amante, también va comprendiendo y aceptando la necesidad humana de tener un compañero, de gozar plenamente del sexo y de compartir el amor.

IRIDE LAMARTINA-LENS
Pace University

AUTORRETRATO: PALOMA PEDRERO

Foto: Candyce Leonard

¿Que cómo soy? Soy muchas. Depende de cuándo me mire. Si es de día o de noche, martes o domingo. Depende de cómo esté la luna o mi cuerpo. Depende de si me coloco cerca o lejos del espejo. Hace unos años era otra. Hoy, por ejemplo, tengo décimas y se me ha alargado el rostro. Sin embargo, la fiebre me libra de todas las batallas que generalmente rindo al mundo. Porque soy una mujer peleona. Muy llena de rasguños y cornadas. Tengo los besos siempre colgando de un hilo. Pero tengo muchos también, besos míos y recibidos.

Nací ya fuera de tiesto. Mis padres no querían una niña ni a tiros, así que no fui bienvenida hasta que solté el primer grito y me agarré al pecho de mi madre como una fiera. Aunque de esto no me acuerdo, claro, estoy convencida de que en ese momento fui consciente de lo difícil que era ganarse la leche en la vida, de lo mucho que hay que succionar, de lo que cuesta transformar los deseos, de lo hermosa que era mi madre cuando, a pesar de la decepción, sonreía. Mis padres querían un varón porque pensaban que sólo los hombres podían llegar a ser alguien, que sólo a través de ellos perviviría el apellido y la sangre, que el hombre es un futuro y la mujer una presencia.

A los dieciséis meses de mi nacimiento tuvieron a mi hermano por fin. Y yo, definitivamente destronada, juré ante su cuna, que era mi excuna, que nunca más un hombre por el solo hecho de serlo me arrebataría mis derechos a ser amada. Como una pequeña Escarlata O'Hara, en *Lo que el viento se llevó*, miré al cielo y proclamé: "Yo, niña y por lo tanto presencia, prometo tener un futuro, ser alguien en la vida y dejar mi apellido y mi sangre grabado más allá de la corteza de un árbol".

Ese día, a mis dieciséis meses de edad, me hice conscientemente feminista. Aunque estoy casi segura de que mi sentimiento era anterior.

Ser genéticamente feminista en la España de los años 60, dentro de una familia humilde y desarbolada, con un cuerpo frágil y unos ojos miopes, no era nada fácil. Me pasé quince años buscando de dónde sacar coraje, a dónde mirar, con quién aliarme. Hasta que por fin me enamoré. Y ahí en el regazo de un adolescente rubio encontré la fuerza, el primer espejo en el que me veía hermosa. La paradoja fue que el lugar de mi fuerza estaba en los brazos de mi adversario genérico: el hombre. Así que mi vida, por lo que veo, ha sido una contradicción: una lucha constante por ser una mujer libre, independiente, fuerte, que encuentra la paz en los brazos de su enemigo. Porque renunciar al amor era morir. Pero renunciar a ser algo más que una presencia era morir también.

La escritura me llegó como un regalo de Dios. Siempre fui mala estudiante, en mi casa no había libros; mi madre era una inteligencia sin sendero, mi padre era contable y mis abuelos campesinos. En mis sueños jamás estuvo lo de juntar palabras. Por eso sé que mi primera obra fue un regalo. Una especie de contrapartida divina a tanto penoso asombro.

Recuerdo que cuando estábamos ensayando esa primera obra, *La llamada de Lauren,* el actor que hacía de Pedro se enfadó un día conmigo y me dijo: "Lo tuyo de escribir teatro es un don, no tiene ningún mérito". Pues no sé, seguramente. Yo creo que lo único que he puesto es lo de tragarme el miedo y seguir saltando al vacío. Cada vez con más miedo, es verdad. Y con menos vacío. Aunque quizá esto tampoco tenga mérito.

Escribir es averiguar lo que no sé y no sabré. Es tener amigos. Es conservar el pasado. Es memoria y cuerpo. Porque cuando veo mis obras representadas noto mi presencia: la de esa de mujer a la que nunca he traicionado. Una sombra con pechos y caderas anchas, con pelo denso y olor a hembra. Una presencia con sangre y apellido, con el futuro que mis padres dudaban que pudiera conseguir una mujer. Porque sólo hasta lo que yo pueda llegar a ver llega mi futuro.

Mis obras, las que ya están escritas y las que no, me dan, igual que un hombre enamorado, la fuerza para seguir luchando por mi porvenir. Si escribo lo que vivo y lo que veo, quizá lo que vivo y lo que veo pueda tener sentido. Tiene sentido.

Luchar. Es curioso, porque tal vez, ahora que lo veo escrito, no sea tanta contradicción mi vida. Sólo un conflicto, un ser o no ser, un qué ser, un no querer lo que es, que me lleva a escribir, que pone en marcha el motorcito de mis pasos sobre una cruel y dulce realidad.

Mi autorretrato es mucho más verdad en mis obras. Porque ahí está reflejado lo que no sé de mi misma.

Hoy, a esta hora, miro el espejo y veo una presencia de mujer. Noto sus pechos, sus caderas anchas. La mirada a punto de gritar. En una mano aprieta con firmeza un lápiz de punta afilada. La otra mano está extendida como buscando el pacto. La paz en los brazos del enemigo.

≈ ∼ ≈

Locas de amar. Foto: P. López Cañas

PALOMA PEDRERO

LOCAS DE AMAR

PERSONAJES

EULALIA DE LA BELLAVISTA
LEONILO
ROCÍO
CARLOS JIMÉNEZ
PACO GARCÍA-REINO
SÁINZ

Escena I

Rocío, Leonilo, Eulalia, Carlos

(Casa rica a las afueras de Madrid. En el escenario vemos el salón. A la izquierda del espectador una cristalera que da al jardín. A la derecha una puerta que comunica con otras habitaciones y con la entrada de la calle. En el centro del salón unas escaleras suben hacia la primera planta. Vemos, a la izquierda, el dormitorio de EULALIA, *con una puerta lateral que comunica con su cuarto de baño. A la derecha la habitación de* ROCÍO. *En el centro hay una salida hacia otros lugares de la casa.*

LEONILO, *el criado filipino, entra en el salón con una bandeja en la mano.* ROCÍO, *una chica de veinte años, rica, moderna y guapa, baja de su habitación.)*

ROCÍO—Buenos días, Leo.

LEONILO—Buenos días, señorita. ¿Cómo se encuentra su madre?

(La luz se intensifica sobre la habitación matrimonial. En la cama vemos a EULALIA. *Es una mujer de cuarenta y pocos años, gordita, y con aspecto de ama de casa cuidada. Lo único que asoma de entre las sábanas es una carita blanca y demacrada con un simpático pelo despeinado.)*

EULALIA—*(Sobresaltada entre sueños.)* Viva, estoy viva. Sigo viva. ¡Dios mío, qué difícil es morirse…! *(Llaman a la puerta.)* ¿Sí?

ROCÍO—*(Desde afuera.)* Soy yo, mamá. ¿Puedo pasar?

EULALIA—Sí, pasa.

ROCÍO—*(Entrando.)* ¿Qué tal, mamá? ¿Cómo te encuentras? *(Sube la persiana.)*

EULALIA—Muerta de hambre.

ROCÍO—*(Animada.)* ¿Quieres que le diga a Nenita-Li que te traiga el desayuno?

EULALIA—No vuelvas a decirme eso. No quiero que se nombren las palabras desayuno, comida, merienda o cena en esta habitación. No quiero ni acordarme de que existen los bombones. No quiero que entre nadie en este cuarto. ¡Quiero morirme!

ROCÍO—Pero mamá, llevas ya varios días sin comer. Si sigues así puedes ponerte enferma.

EULALIA—Ya estoy enferma, ¿no lo ves? Ya me han matado el corazón y el alma. Ahora soy yo la que va a acabar con el cuerpo.

ROCÍO—*(Se sienta en la cama.)* Mamá, estás deprimida, es normal. Pero esto no tiene sentido. Tienes que levantarte de la cama, salir con tus amigas… Tienes que intentar rehacer tu vida.

EULALIA—Nunca. La vida se acabó para mí. El canalla de tu padre me asesinó.

ROCÍO—Pero, mamá, no seas tan trágica. Papá no te ha asesinado, te ha dejado.

EULALIA—¿Y qué es peor?

ROCÍO—Pero si ahora es lo normal. Todo el mundo deja a todo el mundo. Dicen que es hasta más divertido, que así se pueden conocer muchos hombres, muchas formas de hacer el amor...

EULALIA—Cómo se nota que eres una niña inocente.

ROCÍO—¿Por qué dices eso?

EULALIA—Porque todos los hombres hacen igual el amor.

ROCÍO—*(Sorprendida.)* ¿Y tú qué sabes?

EULALIA—Bueno..., mis amigas me lo cuentan. Y todos hacen cuatro cosas. Ahora, eso sí, a veces el orden es diferente. *(Se pone a llorar.)* Tu padre lo hacía como todos. No era peor... ¡No era peor! ¡No era peor!

ROCÍO—Vamos, mamá, no llores. Tienes que sacar las fuerzas. Eres joven y todavía estás bien.

EULALIA—He adelgazado cuatro kilos.

ROCÍO—Fantástico. Unos pocos más y te pones a punto, guay.

EULALIA—No seas frívola. Pienso llegar hasta el final. ¡No puedo soportar el dolor!

ROCÍO—Vamos, a todos nos han abandonado alguna vez.

EULALIA—No te hagas la adulta. A ti te dejó ese pobre desgraciado cuando llevabais un mes.

ROCÍO—Llevábamos tres meses saliendo.

EULALIA—Yo llevaba veinte años. Casi desde que tenía tu edad. Yo fui virgen al matrimonio. Sí, tu padre fue el primero y el único. Y ahora me abandona sin explicaciones.

ROCÍO—Mamá, se ha ido con otra.

EULALIA—¿Y eso te parece una explicación?

ROCÍO—De lo más convincente.

EULALIA—Sí, eso es lo horrible del caso. No, no me importaría que hubiera tenido un accidente y se hubiera muerto. Eso hubiera sido sin querer... Pero dejarme por otra... Por una mujer quince años más joven que yo. Sin una gota de celulitis, sin un solo pecho caído, sin problemas... ¡No lo soporto! Interesante, le parecerá interesante la bestia de tu padre. Cuatro arruguitas bien puestas, mucha vida, mucha pasta. ¡Qué horror! ¡Es horrible, hija! Una se dedica a ellos, a aguantarlos, a darles hijos, seguridad, hogar. Ellos ascienden, maduran y se ponen guapos. Y tú desciendes, envejeces y te pones gorda. Entonces, en ese momento, llega una idiota de tu edad y le dice: "Me vuelves loca. Eres tan especial..."

ROCÍO—Mamá...

EULALIA—*(Embalada.)* Él se lo cree, se siente renacer... Porque claro, yo a tu padre también le decía que me volvía loca, pero loca de atar, de frenopático. Esta boba no, ésta se lo dice con... "amor". Ya, pues ya verá ella, porque para volar por el cielo con sus millones va a tener que arrastrarse mucho por la tierra con su persona. Y no exactamente haciendo el amor porque...

ROCÍO—*(Cortándole.)* Mamá, tranquilízate, por favor.

EULALIA—Ay, sí, me he debilitado mucho. *(Decaída.)* No tengo ya fuerzas ni para hablar. *(Llora.)* Paco… Paco… *(Serena de pronto.)* ¿Le has dicho ya que estoy en huelga de hambre?

ROCÍO—Si no le he visto. Está en Bali de vacaciones.

EULALIA—¡Canalla! ¡Canalla! Yo muriéndome y él en Bali de vacaciones. Rocío, llámale y díselo.

ROCÍO—Si no sé dónde está.

EULALIA—Localízale, es un caso urgente. Tiene que saber lo que está pasando. *(Dramática.)* Tiene que sufrir la culpa de su crimen.

ROCÍO—Mamá.

EULALIA—¿Qué?

ROCÍO—Ayer estuve hablando con un psicólogo y le pedí que viniera a verte.

EULALIA—¿Verme? ¿A mí? ¿Un psicólogo? ¿Es que piensas que estoy loca?

ROCÍO—No, no pienso que estés loca. Pienso que estás deprimida y necesitas ayuda. No puedes seguir en esta actitud: así, sin comer, sin salir de este cuarto…

EULALIA—No será mucho tiempo. Cuando alguien quiere morirse… se muere.

ROCÍO—No creas que es tan fácil. Un cuerpo puede aguantar muchos días en ayuno, y te lo dice una futura médica. Y, además, tú no quieres morirte, quieres vengarte.

EULALIA—Sí, quiero vengarme. Quiero que él viva con mi muerte a sus espaldas toda la vida.

ROCÍO—¿Y crees que merece la pena?

EULALIA—Por supuesto.

ROCÍO—¿Y los demás qué? ¿Y yo qué?

EULALIA—Tú eres mayor y ya no me necesitas. Tienes tu vida, tu carrera… Yo no tengo nada.

ROCÍO—Ah, ¿no? ¿Es que tu vida no vale nada? ¿Es que sólo puedes vivir si tienes a un hombre al lado?

EULALIA—Yo renuncié a mi propia vida por él.

ROCÍO—Estupendo. Éste es el resultado.

EULALIA—¿Cuál?

ROCÍO—Una mierda.

EULALIA—No me hables así.

ROCÍO—Sí, una mierda, ¿me oyes? Pues no me das pena. Hace mucho tiempo que dejé de sentir pena por ti. Tienes lo que te has buscado. Me voy a clase.

EULALIA—No te doy una bofetada porque no llego.

ROCÍO—*(Separándose.)* Vamos, levántate y pégame.

EULALIA—*(Llorando.)* Cría cuervos. Cría hijos para esto…

ROCÍO—Esta tarde viene el psicólogo a verte.

EULALIA—Aquí no entra nadie. ¡Dejadme en paz! ¡Vete de aquí! ¡Vete!
ROCÍO—Sí, me voy. *(Sale dando un portazo.)*

(EULALIA llora un momento, después se calma y coge el teléfono. Marca.)

EULALIA—Oiga, ¿es ése el Teléfono de la Esperanza?... Necesito hablar... Sí, claro que tengo un problema. Estoy desesperada... No, no tengo a nadie, no quiero hablar con mis amigas. Necesito un anónimo. *(Escucha un tiempo.)* Oiga, he llamado para hablar yo, no para que me cuente usted rollos... ¿Que dónde vivo? ¿Para qué quiere saberlo?... Sí, soy la señora de la Moraleja... ¿Y qué? Necesito que me escuchen y soy yo la que pago el teléfono, ¿no? Mi hija se ha puesto en contra mía. Todos están en contra mía. Quiero morirme urgentemente... Cállese porque no me anima usted lo más mínimo, me deprime más de lo que estoy... ¿Qué? ¿Un calmante? Pero bueno, ¿no le he dicho que estoy en huelga de hambre? ¡Qué horror, qué incompetencia! ¡Usted más que una esperanza es un castigo! Oiga, oiga... *(Extrañada.)* Ha colgado.

(EULALIA, inquieta, no sabe qué hacer. Se levanta sigilosamente, saca un peso de debajo de la cama y se pesa. ROCÍO abre la puerta. EULALIA, sobresaltada, grita y se desmaya.)

ROCÍO—¡Mamá! ¡Mamá...! Mamá, reacciona.
EULALIA—¿Dónde estoy?
ROCÍO—Vamos, soy yo. Ven, siéntate aquí. Escúchame: he hablado con Carlos Jiménez, el psicólogo, le he pedido que venga ahora mismo.
EULALIA—*(Lloriqueando mira el retrato de boda.)* Paco... Paquito...
ROCÍO—Mamá, estás histérica. No comprendo nada. Antes todo el día quejándote de papá y ahora no puedes vivir sin él.
EULALIA—No es que no pueda. *(Rotunda.)* Es que no quiero.
ROCÍO—Escucha, Carlos Jiménez es un psicólogo excelente.
EULALIA—No quiero psiquiatras, están locos.
ROCÍO—Es psicólogo, no psiquiatra, y no está loco. Es muy bueno.
EULALIA—¿Está bueno?
ROCÍO—Mamá...
EULALIA—No, ningún otro hombre pisará esta habitación sagrada y consagrada. *(Evocadora.)* Aquí se desnudaba él poquito a poco. Primero la chaqueta, luego la corbata. Después los pantalones...
ROCÍO—Mamá, por favor, no me vas a contar a mí...
EULALIA—No te preocupes, hija, si no se quitaba nada más.
ROCÍO—Ah, ¿no?
EULALIA—No, después de quitarse los pantalones se ponía la faja para la ciática... *(Acariciando el pijama.)* y encima... su pijamita de lunares...
ROCÍO—Qué erótico...

EULALIA–*(Romántica.)* Entonces se tumbaba en la cama y yo le echaba la crema…

ROCÍO–¿Le echabas crema? ¿En dónde?

EULALIA–Ay, hija, en la cara. Nutritiva, antiarrugas. *(Reaccionando.)* Si lo llego a saber… ¡Desgraciado! Vinagre le tenía que haber echado, pero en los ojos.

ROCÍO–¡Mamá, que es mi padre!

EULALIA–Era tu padre. Ahora es un adúltero.

ROCÍO–Bueno, ya se te pasará. Tampoco te va a dejar tan mal. Me ha dicho que te va a dejar este chalet, la casa de campo…

EULALIA–Quémalo todo.

ROCÍO–Y la pensión. Seguro que te pasa una buena pasta.

EULALIA–Ya, si ya sé que tú siempre has estado de su parte. Claro, como nunca te dice que no a nada. ¿Pues sabes lo que te digo? Que es muy fácil comprar cuando se tiene dinero, que es muy fácil regalar una moto a la niña cuando se puede, que lo difícil es estar a su lado y cuidarla cuando se cae de morros…

ROCÍO–Vale, mamá, vale. Ni que me hubiera caído veinte veces de la moto.

EULALIA–Tres, hija, tres…

ROCÍO–*(Interrumpiéndola.)* Me voy… no te soporto.

EULALIA–Eso, vete a clase y déjame sola.

ROCÍO–No, hoy no voy a ir a clase. Voy a esperar al psicólogo.

EULALIA–Ningún loquero va a entrar en este cuarto.

(Suena el teléfono. ROCÍO lo coge.)

ROCÍO–¿Sí? Dime Leonilo… Ah, ¿ya ha llegado?… Sí, dile que me espere en la sala, ahora mismo voy. *(Cuelga.)* Mamá, el psicólogo ha llegado. Te ruego que no montes números. Es un hombre muy importante. Ha hecho cursos en todos los lugares del mundo. Es un especialista en cursillos. Tienes que tener confianza en él.

EULALIA–Sí, confianza.

(ROCÍO sale. EULALIA se levanta y echa el cerrojo de la puerta. Después se tumba sobre la cama y, con el mando a distancia, pone la televisión a todo volumen. Oímos una telenovela. La luz se intensifica en la sala. LEONILO, plumero en mano, hace entrar a CARLOS JIMÉNEZ en la sala. Es un hombre de aspecto juvenil, pequeño y con un rostro aniñado y simpático.)

LEONILO–Pase y siéntese, la señorita Rocío baja enseguida.

CARLOS–Gracias.

(LEONILO sale. Al instante aparece ROCÍO que sorprende a CARLOS haciendo un ejercicio de relajación activa.)

ROCÍO–Buenos días.

CARLOS—Ah, Rocío García-Reino, supongo. *(ROCÍO asiente. CARLOS le extiende la mano.)* Encantado.

ROCÍO—Siéntese, por favor.

CARLOS—No, por favor, no me llames de usted, no soy tan viejo.

ROCÍO—Bueno, para mí treinta y cinco años son bastantes. *(CARLOS hace un gesto de sorpresa.)* He estudiado tu currículum antes de llamarte. Viene la fecha de nacimiento. Yo voy a cumplir veinte.

CARLOS—Vaya… una bonita edad.

ROCÍO—Depende.

CARLOS—*(Inquieto.)* En fin, ¿cómo se encuentra tu madre?

ROCÍO—Fatal, está completamente histérica. Yo ya no sé qué hacer con ella. Creo que lo mejor sería ingresarla.

CARLOS—Eh, un momento, eso es siempre el último recurso. *(Saca una libreta.)* Antes de pasar a verla necesito que me contestes a algunas preguntas.

ROCÍO—Creo que ya te conté todo por teléfono. Mi padre estaba harto de ella y se marchó con una modelo de su agencia…

CARLOS—Sí, eso ya lo sé, me refería a algunos antecedentes familiares… Por ejemplo, ¿cómo era tu madre antes de la crisis?

ROCÍO—Difícil. Siempre ha ido de víctima. Ya me comprendes, ¿no? La típica mujer insatisfecha.

CARLOS—Mucho tiempo en casa, claro.

ROCÍO—En los últimos meses menos. Se dedicaba a los talleres y reuniones: taller de plata repujada, taller de gastronomía oriental, curso de yoga, reunión de "taperwers".

CARLOS—¿Taper… qué?

ROCÍO—Sí, los cacharros esos de plástico para meter la comida.

CARLOS—Ah.

ROCÍO—Últimamente, ella y sus amigas se veían con una extraterrestre.

CARLOS—¿Cómo?

ROCÍO—Sí, un día la escuché hablar por teléfono con su amiga Pilar de una tal Selene. Decía que habían quedado para despedirse porque la extraterrestre se volvía por una temporada a su planeta.

CARLOS—*(Apuntando.)* Dios mío…

ROCÍO—Yo creo que siempre ha estado… Bueno, mi madre es una rebelde sin salida.

CARLOS—¿Y eso?

ROCÍO—Sí, que mucha insatisfacción y mucho criticar a mi padre pero a primeros de mes… *(ROCÍO hace un gesto de poner la mano.)* ¿Entiendes?

CARLOS—*(Tragando saliva.)* Sí, sí, claro. ¿Cuántos años has dicho que tenías?

ROCÍO—Cuarenta y dos.

CARLOS—No, tú, tú.

ROCÍO—Diecinueve. Y soy virgen. *(A* CARLOS *se le cae la libreta de la mano.)* ¿Te sorprende?

CARLOS—No, no, sólo la aclaración.

ROCÍO—Es para que sepas que no soy una frívola. Además me gustan los hombres mayores, los de mi edad sólo piensan en el ordenador. Yo, aunque parezca mentira, sigo yendo a misa los domingos.

CARLOS—*(Sin saber qué decir.)* ¿Y tu madre?

ROCÍO—¿Mi madre? Mi madre no se aclara.

CARLOS—*(Perplejo.)* Bueno, creo que ya tengo suficientes datos. Ahora será mejor que hable con ella.

ROCÍO—No te va a ser fácil. No quiere ver a nadie.

CARLOS—No te preocupes, estás hablando con un profesional. A mí me han dicho muchas veces que no.

ROCÍO—*(Le sonríe seductora.)* Lo siento.

CARLOS—¿Vamos?

ROCÍO—Oye, no me has explicado tu método de trabajo. ¿Qué eres, sicoanalista o conductista?

CARLOS—Ni lo uno ni lo otro. Yo tengo mi propio sistema.

ROCÍO ¿Y cuál es? Me gustaría saber…

CARLOS—Mi método, para que lo entiendas, sería… dar y tomar. Dar y tomar, ¿comprendes?

ROCÍO—Ah, pues no lo conocía.

CARLOS—Es el sistema más humano y eficaz. El paciente no ve al terapeuta como un mueble con voz sino como a un ser humano que siente, que se implica.

ROCÍO—Qué interesante…

CARLOS—Trabajo sobre todo con el cuerpo, energía mental y liberación de sentimientos…

ROCÍO—*(Mirándole fascinada.)* Qué interesante…

CARLOS—Es la esencia de la vida, pequeña. Bien, ahora veamos a tu madre. *(Se dirigen hacia la habitación de* EULALIA.*)*

(Luz en la habitación de EULALIA, *que llora ante la telenovela.* ROCÍO *llama a la puerta.)*

ROCÍO—¿Se puede, mamá?

EULALIA—No.

ROCÍO—Voy a entrar. Carlos Jiménez y yo vamos a entrar.

EULALIA—Vale.

ROCÍO—*(Que intenta abrir y se encuentra con la puerta cerrada.)* Mamá, déjate de tonterías y abre la puerta.

EULALIA—He dicho que no quiero que venga nadie. Te advertí, no quiero intrusos en mi dolor.

ROCÍO—*(Golpeando con fuerza.)* Mamá, abre la puerta.

EULALIA—No.

ROCÍO—No me pongas nerviosa. Te he dicho…

(CARLOS hace un gesto a ROCÍO para que le deje a él.)

CARLOS—¿Cómo se llama?

ROCÍO—Eulalia.

CARLOS—¿Sabes si de pequeña la llamaban con algún diminutivo cariñoso?

ROCÍO—No lo sé.

CARLOS—En el estado en el que se encuentra tu madre es importante que conecte con lo afectivo, que sienta cariño a través de las palabras.

ROCÍO—Espera. Mamá, ¿cómo te llamaban los abuelos de pequeña?

EULALIA—¿Qué?

ROCÍO—¿Que cómo te llamaban de pequeña?

EULALIA—*(Lloriqueando.)* Deja de preguntarme tonterías. Déjame en paz.

CARLOS—*(Reflexionando.)* Eulalia… Eula… Lali… Leli. Sí, Leli, seguro que la llamaban Leli. Vamos a ver… *(Golpea la puerta y habla con suavidad.)* ¡Leli! Leli, ¿me oyes?

(EULALIA no contesta.)

ROCÍO—A mí eso de Leli no me suena.

CARLOS—¡Lalia! Lalia es bonito. *(A EULALIA.)* Lalia, Lalia… ¿me estás escuchando?

(EULALIA desde su cama hace gestos de desesperación.)

ROCÍO—Lalia no la debían llamar. Es un nombre ridículo.

CARLOS—Eu… Eula… *(Llamándola.)* Eula… Eulita…

ROCÍO—Pero, hombre, cómo la iban a llamar Eula…

CARLOS—*(Golpeando la puerta.)* ¡Eulalia, coño! ¿Me oyes?

EULALIA—No, no quiero oír nada. Como volváis a llamar me ahorco con la sábana.

CARLOS—*(A ROCÍO.)* ¿Ha realizado algún intento de suicidio anteriormente?

ROCÍO—Que yo sepa sólo amenazas.

CARLOS—Veamos… *(Vuelve a llamar.)* Eulalia, bonita, soy Carlos Jiménez…

EULALIA—*(Interrumpiéndolo.)* Carlos Jiménez, olvídame.

CARLOS—*(Tranquilizador.)* Me gustaría hablar contigo unos minutos, sólo unos minutos. Abre la puerta, nos conocemos, charlamos un rato, y después tú decides si quieres… *(EULALIA lanza un grito ahogado en relación con el culebrón televisivo. Carlos asustado.)* ¡Eulalia! ¡Eulalia! ¿Estás bien? *(EULALIA no contesta, desesperada se levanta a abrir.)* Tengo que entrar. Apártate.

ROCÍO—¿Qué vas a hacer?

CARLOS—*(Coge carrerilla con intención de derribar la puerta.)* Una, dos y tres…

(EULALIA abre y CARLOS se le cae encima. Ruedan hasta la cama.)

ROCÍO—¡Madre mía…!

EULALIA—¡Ay, ay…! ¡Loco, sabía que estaría loco…!

CARLOS—*(Aturdido, recogiendo sus papeles del suelo.)* Lo siento, lo siento… ¿Cómo estás? *(Ve a EULALIA por primera vez y se queda fascinado. Se le cortan hasta las palabras.)* ¿Cómo te sien…tes?

EULALIA—*(Tapándose con un cojín el pecho.)* ¿Qué pasa? *(Se pone otro cojín en el vientre.)* ¿Te parezco gorda?

CARLOS—*(Encandilado.)* No, por favor, en absoluto.

ROCÍO—Mamá, éste es Carlos Jiménez.

EULALIA—*(Dolida y enfadada.)* Ya, ya he tenido el gusto de tenerlo encima.

CARLOS—*(Nervioso.)* Ha sido un accidente… Leli.

EULALIA—Como vuelvas a insultarme llamo a la policía.

ROCÍO—Pero, ¿cómo te llamaban de pequeña, mamá?

EULALIA—Eulalia, hija, Eulalia María del Perpetuo Socorro.

(CARLOS y ROCÍO se miran y se hacen un gesto.)

CARLOS—*(Recuperando su dignidad.)* Está bien… Eulalia, Rocío me ha contado tu problema y he venido a ayudarte.

EULALIA—Ya, ya lo he visto. Pero resulta que no quiero morirme con métodos violentos. Quiero morirme lentamente, ¿comprendes?

CARLOS—Rocío, déjanos solos, por favor.

(ROCÍO asiente y sale. EULALIA sube el volumen del televisor e ignora la presencia del psicólogo. CARLOS coge una silla y se sienta al lado de EULALIA. La mira, después mira la tele. Vuelve a mirar a EULALIA con paciencia.)

CARLOS—¿Es interesante esta telenovela?

EULALIA—¡Chist…!

CARLOS—Eulalia…

EULALIA—¡Cállate, que llega, que llega!

CARLOS—¿Quién?

EULALIA—Carlos Roberto.

CARLOS—*(Mirando la tele.)* ¿Pero al final no era ése su padre?

EULALIA—Claro, pero ella no lo sabe.

CARLOS—¿Y ése quién es?

EULALIA—Ése es el primo hermano de la mujer de su amante, que tuvo un hijo con la madre de ella, pero que ella cree que es del médico…

CARLOS—Pero si…

EULALIA—Chist, que te calles. ¡Huy, la que se va a armar…!

(Mientras los dos miran la televisión se va haciendo el oscuro.)

ESCENA II

EULALIA, CARLOS, LEONILO, PACO, ROCÍO

(En la habitación de EULALIA vemos a CARLOS descalzo preparando el espacio para hacer terapia. Coloca una colchoneta pequeña y un bate. Golpea la colchoneta.)

(EULALIA sale de su baño y entra en la habitación. Está más delgada.)

CARLOS—*(Dando el bate a EULALIA.)* Adelante, vamos, golpea con fuerza. Saca toda la rabia que tienes adentro.

EULALIA—No puedo. No tengo fuerzas… *(Golpea débilmente.)*

CARLOS—*(Provocador.)* Ah, ¿no? Pues Paco sí. Paco tiene fuerzas para estar en la playa con Mónica, para levantarla en sus brazos…

EULALIA—*(Golpeando el cojín.)* Canalla…

CARLOS—Muy bien. Más fuerte…

EULALIA—*(Golpeando.)* Mal marido.

CARLOS—Ahora estarán tomándose un cóctel de gambas en el hotel.

EULALIA—Toma, en la boca, mamarracho. Ni un diente, no te voy a dejar ni un solo diente sano. *(Golpea con más fuerza.)*

CARLOS—Muy bien, dale. *(Poniéndose detrás de ella.)* Tienes que sacar todo el resentimiento, todo el odio.

EULALIA—Me canso. No puedo.

CARLOS—¿Ah, sí? Pues Paco no se cansa. *(Coloca una foto de PACO encima de la colchoneta.)* Ahora estarán subiendo a la habitación del hotel… Él se está excitando…

EULALIA—*(Furiosa, golpeando la foto.)* Toma. Ahí te duele, ¿eh? Pues toma. *(Dando varios golpes seguidos.)* ¿Que no se te baja? Ahora verás: éste en el derecho, toma. Éste en el izquierdo, toma. Éste en el… centro. ¡Toma, toma y toma! ¡Te voy a machacar…!

CARLOS—*(Desde atrás, animándola.)* ¡Dale, vamos, Eulalia María…! ¡Muy bien!

EULALIA—*(Tambaleándose.)* Toma, toma… *(El bate pasa al lado de la cabeza de CARLOS que esquiva los golpes con dificultad. EULALIA, descontrolada, sigue pegando. De pronto comienza a perseguir a CARLOS que tiene que correr por encima de la cama.)* Toma, canalla, traidor, adúltero, impotente, ciático, obeso, muermo, muermo, muermo…

(CARLOS se ha tenido que tirar al suelo. EULALIA, por fin, exhausta, para y se abraza al cojín. CARLOS se acerca hacia ella lentamente.)

CARLOS—Dime, ¿cómo te sientes?

EULALIA—*(Llorando.)* Paco... Paquito...

CARLOS—Vamos, respira, relájate como te he enseñado. Eso es... *(CARLOS le ayuda.)* Hoy lo has hecho mucho mejor. Pero todavía tienes mucha rabia adentro.

EULALIA—Es que así no se me quita.

CARLOS—Las descargas son una buena fórmula. Tienes que tener confianza...

EULALIA—*(Señalando el retrato.)* Yo quiero darle a él. ¡A él...!

CARLOS—Eulalia, tranquilízate, eso que dices es una locura.

EULALIA—Pues anda que esto.

CARLOS—Escúchame, tienes que superar ese deseo de venganza. Tú eres una mujer fuerte, inteligente, no puedes seguir en este estado por un hombre como ése.

EULALIA—¿No ha vuelto todavía? ¿No piensa volver nunca?

CARLOS—Sí, creo que habló ayer con Rocío.

EULALIA—¿Sí? ¿Y por qué me has dicho que estaba con Mónica en la playa?

CARLOS—Tenía que estimularte.

EULALIA—Vaya, hombre...

CARLOS—Eulalia, en algún momento tenemos..., tienes que enfrentarte a la verdad.

EULALIA—La verdad... la verdad es que me estoy muriendo, que llevo diez días sin comer y que él ni siquiera lo sabe. Que tiene que venir un psiquiatra a verme...

CARLOS—Psicólogo, Eulalia.

EULALIA—Bueno, es lo mismo. *(Súbitamente.)* Carlos, te necesito.

CARLOS—*(Sonriendo.)* Estoy aquí contigo. Estoy aquí.

EULALIA—No quiero que estés aquí. Quiero que vayas a ver a Paco y le cuentes mi situación, que estoy agonizando.

CARLOS—Eso no es verdad.

EULALIA—*(Mostrándole una muñeca.)* Mira, me estoy quedando en los huesos...

CARLOS—¿Y para qué? ¿No te parece absurdo? ¿No te das cuenta de que sólo te haces daño a ti misma? ¿O es que te gustaría que volviese contigo por lástima?

EULALIA—¡No!

CARLOS—Con la de hombres que podrían estar contigo por amor, por amor verdadero.

EULALIA—¿Qué has dicho?

CARLOS—*(Turbado.)* Lo que has oído.

EULALIA—¿Tú crees?

CARLOS—No tengo ninguna duda. *(Se crea un momento de silencio.)*

EULALIA—*(Pensativa.)* Sí, ésa podría ser una posibilidad. *(Sonríe con malicia.)* Bueno, Carlos, vamos a cambiar de tema que me pongo nerviosa.

CARLOS—Está bien, ¿qué hiciste ayer?

EULALIA—Lo que me dijiste.

CARLOS—Sugerí, Eulalia, yo sólo te sugiero.

EULALIA—Me leí las siguientes diez páginas del *Quijote.*

CARLOS—¿Y qué tal?

EULALIA—Mejor. De todas formas…, yo me agoto. Vaya forma más rebuscada de hablar.

CARLOS—Era el lenguaje de la época…

EULALIA—También comencé la obra de Shakespeare. Otro que tal baila. Me he tenido que leer cinco veces la primera escena.

CARLOS—Tener una formación, una cultura, un criterio sobre el mundo lleva su tiempo. Tienes que controlar la ansiedad.

EULALIA—Vino a visitarme mi amiga Pilar. Me encontró muy bien, muy delgada. Y le conté nuestro proyecto de que yo tuviera una vida propia.

CARLOS—¿Y qué? ¿Qué te dijo?

EULALIA—Le pareció una tontería. Y me dijo que todavía podía conseguir un hombre, que no tirara la toalla, que las intelectuales y todas ésas luego no encuentran un hombre que las soporte. Yo… yo tengo muchas dudas.

CARLOS—Tienes que tener fe.

EULALIA—Sí, ya, fe, esperanza y caridad. ¡Y mientras tanto… *(Señala el retrato acusadora.)* …ése! Ay, Dios mío… *(De pronto mira su reloj.)* La hora, Carlos. *(Comienza a hacerle un cheque.)*

CARLOS—Por eso no te preocupes, no tengo prisa.

EULALIA—Estoy cansada. Necesito dormir un rato. *(Le da el cheque.)*

CARLOS—Esta tarde podrías ver la película de Passolini en el vídeo. Es realmente interesante. Y dentro de unos días un paseíto hasta el Prado. ¿Qué te parece?

EULALIA—*(Nerviosa.)* ¡Maravilloso! ¡Estupendo! Hasta mañana, Carlos.

CARLOS—Y quiero que tomes alimentos sólidos.

EULALIA—*(A punto de estallar.)* Sólidos.

CARLOS—Jamón de York, fruta…

EULALIA—York, fruta…

CARLOS—*(Muy lento.)* También pan integral, yogures…

EULALIA—*(Dando con el cojín a CARLOS.)* ¡No quiero yogures, ni estudiar, ni golpear cojines! ¡No soporto a don Quijote! Shakespeare es un petardo, no quiero ser yo, detesto el jamón de York. ¡Quiero morirme!

CARLOS—*(Agarrándole de las muñecas.)* ¡Eulalia…! ¡Eulalia…! *(EULALIA patalea. CARLOS le da una torta.)*

EULALIA—*(Sorprendida.)* ¡Huy!

CARLOS—Lo siento, estabas histérica.

EULALIA—Vete, vete inmediatamente de mi cuarto.

CARLOS—Sí, me voy. No estoy aquí para seguirte el juego. *(CARLOS coge sus cosas y descalzo se dirige a la puerta.)*

EULALIA—*(Arrepentida.)* Carlos, Carlos… Los zapatos. *(CARLOS los recoge con dignidad. EULALIA, seductora.)* Hasta mañana, ¿de acuerdo?

(CARLOS sale sin decir palabra con los zapatos en la mano y se dirige a la sala. EULALIA coge el teléfono, marca un número, y habla impostando la voz.)

EULALIA—¿Despacho del Señor García-Reino?… ¿Está él? Ah, sí, en una reunión… Sí, claro. Soy la doctora Ayuso del Hospital Clínico. Haga el favor de comunicarle al señor García-Reino que su mujer, la legítima, está en coma… Sí, en coma irreversible. Lo siento. Confío en que usted sabrá cómo decírselo. Lo siento, adiós. *(Cuelga.)* Que se fastidie… ¿Y si le da igual? ¿Y si se alegra? *(Arrepentida.)* Bueno, a ver quién puede demostrar que he sido yo.

(CARLOS, en el salón, termina de ponerse los zapatos. Está muy inquieto.)

CARLOS—¿Qué hago, Dios mío, qué hago? *(Se dirige hacia la habitación de ROCÍO pero se arrepiente.)* No, no puede ser. No puede ser. *(De pronto, guiado por un impulso desesperado se dirige al teléfono. Se da cuenta de que no está y mira a su alrededor.)* Este Leonilo… *(Sale al jardín llamándolo.)* ¡Leonilo… Leonilo!

(Por el otro lateral entra LEONILO con un hombre joven, alto, rubio y con un maletín.)

LEONILO—Puede subir.

(El hombre, silencioso, se encamina hacia el dormitorio de EULALIA que le está esperando en la puerta. Ambos desaparecen por la salida de arriba. LEONILO deja el teléfono en su sitio y sale por la derecha. CARLOS entra por la puerta del jardín.)

CARLOS—*(Corriendo.)* ¡Leonilo…! *(De pronto ve el teléfono en su sitio. Se sorprende. Lo coge y marca un número. Habla angustiado.)* Oiga, quiero hablar con el doctor Castillo… Escuche, señorita, soy un paciente suyo y es muy urgente… Dígale que soy Carlos Jiménez… Está bien, espero. Siento interrumpirle, doctor Castillo, pero necesito su ayuda… Estoy metido en un lío… Verá, doctor, me he enamorado de una mujer… Sí, ya, pero ésta no es una mujer cualquiera, es muy complicado, esta mujer es Eulalia de la Bellavista, una paciente. Que además es la madre… Ya, ya sé que no puedo permitírmelo pero… Sí, mañana pasaré a verle. De acuerdo. Gracias.

(Se oyen voces fuera. Entra PACO GARCÍA-REINO *muy alterado.)*

CARLOS—*(Colgando.)* ¿Quién es usted?

PACO—Eso mismo le pregunto yo. ¿Quién es usted y qué hace en mi casa?

CARLOS—Soy Carlos Jiménez el psicoterapeuta de su esposa.

PACO—¿Y se puede saber dónde está ella? He recibido una llamada al despacho y le han dicho a mi secretaria que estaba en coma.

CARLOS—¿Cómo?

PACO—En coma. ¿Dónde está mi hija? ¿Qué está pasando aquí?

CARLOS—Oiga, tranquilícese, Eulalia está dormida y no podría soportar sobresaltos.

PACO—Pero, ¿qué le pasa? ¿Es cierto que está tan enferma?

CARLOS—Lleva muchos días sin comer. Está débil y muy deprimida.

PACO—¿Y lo del coma? ¿Quién ha llamado a mi oficina?

CARLOS—Baje la voz. No sé quién ha llamado a su oficina.

PACO—Ella, seguro que ha sido ella. La conozco, sabe que los miércoles tengo consejo de administración. Me ha alterado toda la agencia…

CARLOS—Escúcheme, ella no ha llamado. Yo he estado a su lado hasta hace cinco minutos.

PACO—Suficiente. Lo que he tardado yo en llegar. Mi agencia está en la paralela. *(Tajante.)* Quiero ver a Eulalia.

CARLOS—No puede verla. Está dormida y no se la puede molestar. Y menos usted.

PACO—Siento recordarle que estoy en mi casa y que ella es mi esposa.

CARLOS—Y yo le recuerdo que la abandonó hace casi un mes.

(Sale ROCÍO *al oír las voces.)*

ROCÍO—¡Papá! ¿Qué haces aquí?

PACO—Hablando con este… señor que…

ROCÍO—Ah, es Carlos Jiménez, el psicólogo de mamá. ¡Qué guapo estás, papi! ¿Qué te has hecho en la cabeza?

PACO—*(Avergonzado.)* Nada.

ROCÍO—¿Es una peluca? *(Va a tocársela.)*

PACO—Quieta, hija, quieta.

ROCÍO—¿Y las gafas? ¿No me digas que te has puesto lentillas?

PACO—¡Que te calles, Rocío!

ROCÍO—Bueno, papi, no te enfades. Si estás muy bien. ¿Lo has hecho por Mónica?

PACO—¡Rocío…! Bueno, ¿qué pasa aquí? ¿Cómo está tu madre?

ROCÍO—Mejor, muy pesada pero mejor. Creo que Carlos está haciendo maravillas.

CARLOS—Está solamente un poco más animada pero su estado sigue siendo muy delicado.

PACO—Ella siempre ha estado en estado delicado. Usted no la conoce.

CARLOS—La conozco más de lo que usted se cree. Y le pido un respeto para ella.

PACO—*(Intentando tranquilizarse.)* Disculpe, discúlpeme. Me ha pegado un susto terrible.

CARLOS—*(A ROCÍO.)* Alguien ha llamado a tu padre diciéndole que Eulalia estaba en coma.

ROCÍO—Mi madre.

CARLOS—Eso no es cierto, he estado con ella… En fin, no importa… Lo que importa es que ella no quiere verle por ahora. Y yo le pido, como profesional, respete sus deseos.

ROCÍO—Sí, papi, es mejor que te vayas ahora. Yo te llamaré cuando se tranquilicen las cosas…

PACO—*(Confuso.)* Pues… Está bien, yo quiero ayudar… Yo estoy dispuesto a colaborar en todo. Yo… yo quiero que sepa que no soy del todo responsable del desequilibrio de mi mujer.

CARLOS—No es el momento de hablar de eso. Si se despierta podría sufrir un shock. Por cierto, me gustaría hablar con usted en otro momento.

PACO—*(Dándole una tarjeta.)* Cuando lo desee puede llamarme a mi oficina.

CARLOS—Espero que no se haya despertado… Voy a ver…

(CARLOS se dirige hacia la habitación de EULALIA. Va a llamar pero no se atreve. Intenta escuchar detrás de la puerta.)

ROCÍO—*(Con ansiedad.)* Vamos, papi, será mejor que ahora te vayas.

PACO—Bueno, bueno, he venido porque he sido llamado.

ROCÍO—Tú también estás más delgado… *(Por el vestuario.)* ¡Y qué moderno! ¿Y Mónica, cómo está?

PACO—Bien, bien…*(Mirando a su alrededor.)* Qué extraña me parece la casa ahora. ¿Cómo están las plantas del jardín?

ROCÍO—*(Empujándolo.)* Muy bien, adiós papi, todo está bien.

PACO—Bueno, hija, ya me voy. Ya veo lo que me echáis de menos. *(ROCÍO va a darle un beso. PACO grita.)* ¡Cuidado!

ROCÍO—¿Qué pasa?

PACO—Se me ha caído la lentilla… No te muevas… *(PACO se tira al suelo y comienza a palpar.)*

ROCÍO—*(Haciendo lo mismo.)* Es verde, ¿no?

PACO—No hay manera… He perdido seis en quince días…

(Vuelve CARLOS y les mira sorprendido.)

CARLOS—Ejem… Parece que Eulalia está dormida y he preferido no entrar. En fin, yo me voy…

ROCÍO—*(Se levanta sobresaltada.)* ¡Espera! Tengo que hablar contigo acerca de mamá. A solas.

CARLOS—Hoy tengo mucha prisa. Será mejor que hablemos mañana.

PACO—¡Esta puñetera lentilla…!

ROCÍO—*(Matando a CARLOS con la mirada.)* Es urgente, serán sólo diez minutos. *(A su padre.)* Papá, tengo que hablar con el señor Jiménez. Con este suelo no va a aparecer… Además, no te preocupes que si la encuentro te la guardo ¿vale?

PACO—Le diré a Nenita que pase la aspiradora.

ROCÍO—Muy buena idea. Yo estaré al tanto.

PACO—*(Levantándose del suelo con dificultad.)* Donde estén unas buenas gafas… *(A CARLOS.)* En fin, lo dicho, estoy dispuesto a colaborar en lo que necesite…

CARLOS—Está bien…

ROCÍO—Adiós, papá. *(Le da otro beso con cuidado.)* Te llamaré.

PACO—*(Echando la última mirada al salón.)* Hasta pronto.

CARLOS—*(Se agacha y coge la lentilla.)* Oiga, su lentilla.

PACO—Ah, menos mal, gracias. *(Sale.)*

ROCÍO—*(Espera un momento y se lanza a los brazos de CARLOS.)* ¿Qué pasa, tontito? ¿Por qué te quieres ir?

CARLOS—Estoy… Estoy preocupado.

ROCÍO—Ven, anda, cuéntamelo todo en mi habitación *(Seductora.)* Ahora quiero ser yo tu doctora particular.

CARLOS—No, Rocío, no puedo. Hoy me tengo que ir. Tengo trabajo urgente.

ROCÍO—Un ratito… Quédate sólo un ratito.

CARLOS—Lo siento, tengo asuntos que resolver.

ROCÍO—¿Qué te pasa? ¿Por qué estás tan raro?

CARLOS—No, no es nada. Bueno, no lo sé. Tengo dudas…

ROCÍO—*(Inquisitiva.)* ¿Por mí? ¿Tienes dudas conmigo?

CARLOS—Sí, Rocío, esto es una locura. No, no es ético.

ROCÍO—¿Qué dices? ¿No es ético el qué?

CARLOS—Yo…, yo…, Rocío, no estoy preparado para afrontar una nueva relación.

ROCÍO—Entonces, ¿por qué te acuestas conmigo? ¿Por qué lo haces tan bien?

CARLOS—¿Lo hago bien?

ROCÍO—Increíblemente bien…

CARLOS—*(Modesto y halagado.)* Qué va… Qué va…

ROCÍO—Y cuando me sedujiste, me dijiste que no había otras mujeres.

CARLOS—Eso fue hace mucho tiempo.

ROCÍO—Diez días.

CARLOS—Además, perdona, Rocío, pero me sedujiste tú a mí.

ROCÍO—¿Yo? Yo sólo te hice una exploración médica porque me dijiste que tenías una hernia inguinal.

CARLOS—Bueno, vamos a dejarlo. Eso da igual. Lo importante es que...

ROCÍO—*(Llorosa.)* No me quieres. Es eso, ¿no? ¿Es eso?

CARLOS—Sí, claro que te quiero. Te quiero pero...

ROCÍO—*(Sin dejarle acabar.)* Pues, entonces, ven. Anda vamos un ratito a mi habitación.

CARLOS—No puedo, tengo un conflicto. Un conflicto que tú no podrías comprender.

ROCÍO—¿Por qué?

CARLOS—Eres demasiado joven.

ROCÍO—*(Furiosa coge una botella del aparador.)* ¡Cómo vuelvas a llamarme joven, te parto esto en la cabeza!

CARLOS—No grites, vas a despertar a tu madre.

ROCÍO—Grito lo que quiero. Ella grita todo lo que le da la gana y yo no me quejo. A ella vienes a verla todos los días y a mí...

CARLOS—¡Escúchame! *(ROCÍO le mira.)* Tu madre está mal. Lo más importante en este momento es que ella se cure. Si se entera de lo nuestro perdería toda la confianza en mí. Se hundiría. Sobre todo teniendo en cuenta que podría estar... enamorada de mí.

ROCÍO—¿Cómo? ¿Qué has dicho?

CARLOS—Es... es un enamoramiento irreal. Una transferencia. Rocío, ¿no me digas que no sabes que todos los pacientes se enamoran de su psicólogo?

ROCÍO—*(Aliviada.)* El caso es...

CARLOS—Sería terrible para ella.

ROCÍO—No se tiene por qué enterar. No se lo decimos y ya está.

CARLOS—Tu madre cree que eres virgen.

ROCÍO—Mi madre no se entera de nada.

CARLOS—Tú se lo has dicho.

ROCÍO—Bueno, yo moralmente soy virgen. Yo me acuesto contigo por amor y me lo confieso los domingos.

CARLOS—¡Dios mío...! ¿A quién?

ROCÍO—Al cura, en la iglesia.

CARLOS—Me voy. Tengo que irme...

ROCÍO—*(Poniéndole la mano en la bragueta.)* Vuelve a decir eso.

CARLOS—Rocío, por favor, no empieces.

ROCÍO—*(Acariciándole.)* Vamos, tontito mío... ¿Cómo te vas a ir? Tengo una sorpresa para ti en mi cuarto. Mamá está requetedormida al Valium, ¿no? Y yo te voy a hacer feliz. ¿Vamos?

CARLOS—*(Entregado.)* Vamos.

(Se van hacia el cuarto de ROCÍO.)

CARLOS—Vas a acabar conmigo y con mi carrera…

(CARLOS y ROCÍO entran en el dormitorio. Al momento vemos al hombre alto y rubio acompañar a EULALIA hasta la puerta de su habitación. Después, silencioso, atraviesa el salón y desaparece de escena.)

ROCÍO—Ya te tengo. Ahora siéntate. *(Echa el cerrojo a la puerta.)* Vamos, siéntate, necesito que te sientes para darte la sorpresa. *(CARLOS se sienta.)* Te voy a hacer un estriptis con regalo interior y texto erótico. *(Pone música de estriptis.)* Se titula: "El pequeño lobo interior de Caperucita Roja".

CARLOS—*(Acomodándose en la cama.)* Ay, ay, ay, Rocío…

ROCÍO—Chist… *(Comienza a desabrocharse la camisa sensualmente.)* Había una vez una niña que vivía en el bosque sola, sola, sola… Un día al quitarse la falda se rozó sin querer el… *(Duda.)*

CARLOS—El bosquecito íntimo.

ROCÍO—Eso. Y descubrió que tenía un pequeño lobo romántico y hambriento… *(Se queda con un body rojo muy sexy.)* Comenzó a quitarse las enaguas rojas…

CARLOS—Y el lobito le dijo: "Niña, ¿a dónde vas con ese culito de melocotón y esas cestitas llenas de miel?"

(Vemos a EULALIA salir de su cuarto y dirigirse hacia el de ROCÍO.)

ROCÍO—Y la niña le contestó: "Voy a casa de mi abuelita, que está aburrida y encogidita, a llevarle toda mi fruta, mi miel y el agua de esta fuente…"

(EULALIA llama a la puerta. CARLOS y ROCÍO se sobresaltan.)

CARLOS—*(A ROCÍO.)* ¿Quién es?

ROCÍO—Espera… *(A través de la puerta.)* ¿Quién es?

EULALIA—Soy yo… ¿Puedo pasar?

ROCÍO—¡Mi madre! Escóndete, corre… ¡Espera, mamá! *(Se pone el albornoz encima del tanga.)*

CARLOS—¿Dónde?

ROCÍO—No sé… En el armario.

CARLOS—*(Intentándolo.)* No quepo.

ROCÍO—En la cama. Debajo de la cama.

EULALIA—Rocío, ¿pasa algo?

(CARLOS se mete debajo de la cama con dificultad y aplastado.)

ROCÍO—¡Ya voy…! ¡Es que estoy estudiando…! *(Coge un libro y abre la puerta.)* ¡Estoy estudiando, mamá! ¡Me has desconcentrado!

EULALIA—Bueno, hija, pues te vuelves a concentrar.

ROCÍO—¿Y cómo es que te has levantado? ¿No decías que no pensabas salir de tu cuarto? ¿No estabas dormida?

EULALIA—Necesito hablar contigo.

ROCÍO—No puedo, mamá. Ahora no puedo.

EULALIA—Son sólo cinco minutos. Estoy... estoy mal.

ROCÍO—Anda, vete a tu cuarto. Voy a verte ahora.

EULALIA—No, no. Son temas de los que prefiero no hablar en la habitación conyugal. *(Decidida se sienta en la cama.)* Siéntate. *(EULALIA pisa la mano de CARLOS. Se oye un quejido, la mano se esconde.)* ¿Qué ha sido eso?

ROCÍO—*(Nerviosa.)* Nada... el muñequito. El osito. *(Coge un muñeco y lo hace sonar.)* Esto, ¿ves? *(Lo hace sonar de nuevo.)* ¿Qué quieres, mamá?

EULALIA—Ayer hablaste con tu padre y no me has dicho nada.

ROCÍO—¿Para qué? Sólo hablamos por teléfono, de estudios y esas cosas...

EULALIA—¿Te preguntó por mí?

ROCÍO—Sí.

EULALIA—¿Y?

ROCÍO—Nada, le dije que estabas fatal, que no comías y todo eso.

EULALIA—¿Y?

ROCÍO—Nada, me preguntó por el jardín. Me dijo que cuidara las plantas, que le había costado mucho hacerlas crecer.

EULALIA—¡Crecer...! ¡Canalla! ¡Crecer...! Pues se va a enterar, porque voy a cambiar de táctica y va a comprender lo que es una planta carnívora... Las plantas... ¡Será posible! Ay, ay, qué dolor.

ROCÍO—Mamá, por favor, tranquilízate.

EULALIA—Ay, Dios mío, es que me duele todo. Este Carlos Jiménez me va a matar con tanto movimiento y tanto cuerpo.

ROCÍO—*(Mosqueada.)* Pero, ¿qué hacéis con el cuerpo?

EULALIA—No, él poco, pero a mí me destroza. Que si palos, que si... El otro día me colocó en una postura que me puse a vibrar como un arpa. Bioenergética, dice que se llama.

ROCÍO—*(Celosa.)* Pues no entiendo para qué te hace esas cosas. *(La mano de CARLOS vuelve a asomar. ROCÍO la ve y, disimulando, le da con el pie y hace sonar el muñequito.)* Bueno, mamá, tengo un examen mañana y tengo que estudiar un montón.

EULALIA—Necesito que me dediques cinco minutos.

ROCÍO—Luego, esta noche te subo yo la loncha de jamón de York...

EULALIA—Todavía no he decidido que quiera masticar.

ROCÍO—Pero, mamá, ya está bien. Ya has adelgazado suficiente. *(La mano de CARLOS vuelve a asomar, ROCÍO aprieta el muñequito nerviosa.)*

EULALIA—¿Qué te pasa?

Rocío—El examen. Tengo que estudiarme quince temas de anatomía. Vamos, te acompaño a tu cuarto.

Eulalia—¿Anatomía? Rocío, tengo que hacerte una pregunta de anatomía. Si no resuelvo esto no podré descansar, ni dormir, ni nada. Rocío, tienes que ayudarme a resolverlo.

Rocío—¿Resolver el qué, mamá?

Eulalia—Es que no sé cómo contártelo. Es que, bueno, me da vergüenza.

Rocío—*(Histérica.)* ¿El qué?

Eulalia—Verás, yo sé que tú no eres la persona más adecuada pero… *(Se revuelve nerviosa en la cama. Oye otro "ay". Rocío aprieta el muñeco.)*

Rocío—O me lo dices ya o no respondo.

Eulalia—Hala, hija qué nervios. *(Por el muñeco.)* Deja eso.

Rocío—¡Tengo que…!

Eulalia—Está bien, está bien. Pero ahora no te hablo como a una hija, sino como a una futura doctora. *(Rocío brama.)* Rocío, ¿tú sabes perfectamente lo que es un orgasmo?

Rocío—¿Eh? ¿Cómo?

Eulalia—No me digas que no, lo has tenido que estudiar.

Rocío—Es que no entiendo a qué viene esto, mamá.

Eulalia—Verás, Carlos Jiménez me habla a menudo del orgasmo.

Rocío—¿Que te habla de…? Ya me lo estaba temiendo yo.

Eulalia—Me habla del orgasmo… metafóricamente, ¿entiendes?

Rocío—No. ¡El orgasmo es el orgasmo y no tiene metáforas que valgan!

Eulalia—Hala, hija, cómo te pones. Está claro que sabes lo que es.

Rocío—Estoy en segundo de Medicina.

Eulalia—Muy bien, porque yo necesito que me lo expliques con detalle. Es que estoy… inquieta. Es que estoy… inquieta.

Rocío—¿Qué te ha dicho Carlos?

Eulalia—No, nada directamente pero…

Rocío—¿Te lo insinúa?

Eulalia—No tampoco, pero…

Rocío—¡Explícate, joder! Perdón.

Eulalia—Carlos Jiménez dice que tengo que trabajarme el cuerpo… Con lo débil que yo estoy…

Rocío—¡Voy a gritar!

Eulalia—Ayer, haciendo un ejercicio me dijo: "Ahora, déjate invadir por esa sensación. Imagina que es como un orgasmo que brota de tu vientre y llega hasta tu garganta".

Rocío—Será bestia…

Eulalia—¿Por qué?

Rocío—*(Sin saber qué decir.)* Por… porque eso no se debe decir a una mujer madura y respetable.

EULALIA—*(Molesta.)* Respetable, bueno. Pero lo de madura… Porque sabrás que sólo tengo ocho años más que él. Y además ahora peso cincuenta y nueve.

ROCÍO—¿Y eso qué tiene que ver?

EULALIA—Me has llamado vieja y gorda.

ROCÍO—No es cierto. Te he llamado madura y respetable.

EULALIA—*(Removiéndose sobre la cama, enfadada.)* ¡Que es lo mismo! *(Quejido de CARLOS.)*

ROCÍO—*(Apretando el osito.)* ¡No es lo mismo! ¡Qué coño va a ser lo mismo!

EULALIA—Bueno, hija, no te pongas así. Estoy hecha un lío, ¿y sabes por qué? Porque creo que no he tenido un orgasmo en mi vida.

ROCÍO—*(Perpleja.)* No fastidies, mamá.

EULALIA—Jurado, hija. Lo más parecido que he tenido a una sensación invadiéndome desde el vientre a la garganta ha sido una náusea.

ROCÍO—Qué horror…

EULALIA—Como te lo digo.

ROCÍO—*(Conmovida.)* Pobre mamaíta… Ahora empiezo a comprender algunas cosas. Pero, ¿estás segura?

EULALIA—Sí.

ROCÍO—Pero, ¿y papá?

EULALIA—Tu papá, hija. ¡Ay, si supieras lo que hacía tu papá! Mira, él se ponía encima y hacía… *(EULALIA da como saltitos encima de la cama. ROCÍO la mira horrorizada. Carlos aúlla lejanamente. ROCÍO comienza a apretar el osito como si tuviera un tic.)* ¿Qué te pasa? ¿Qué te pasa, hija?

ROCÍO—Es…, es que es muy fuerte, mamá. Es que me parece tan fuerte, tan fuerte…

EULALIA—¿Por qué? ¿Crees que lo mío ya no tiene remedio?

ROCÍO—*(Levantándola de la cama.)* Sí, sí que lo tiene. Ven, toma, te voy a dejar un libro. Toma, éste y éste. Bueno, y éste…

EULALIA—*(Leyendo excitada.)* "El informe Hite", "Masturbación y plenitud de vida", "Mujer, enséñaselo a él…"

ROCÍO—Creo que con éstos tienes bastante de momento.

EULALIA—Ay, Dios mío, qué emoción… ¿Y cómo no se me había ocurrido a mí mirar en tu librería?

ROCÍO—*(Abriéndole la puerta.)* Porque nunca te han interesado los libros, mamá.

EULALIA—Ahora sí, gracias a Carlos. Es un gran psicólogo. Un gran psicólogo. *(ROCÍO la empuja.)* Bueno, me voy a mi cuarto.

ROCÍO—Hasta luego, mamá.

(EULALIA de pronto, y sin mediar palabra, se acerca a la cama para mirar debajo.)

ROCÍO—*(Echándola hacia atrás.)* ¿Qué haces?

EULALIA—Huy, nada, hija, que me había parecido ver una mano.

ROCÍO—Mamá, tienes que comer. Estás alucinando.

EULALIA—Sí, hija, estoy fatal, debilísima. Pero como nadie me hace ni caso... *(Besándose los dedos.)* ¡Paco, te vas a enterar!

ROCÍO—Adiós.

EULALIA—Sí, me voy, que tengo mucho que leer. *(Sale. ROCÍO cierra la puerta y respira hondo.)*

ROCÍO—*(Mirando debajo de la cama.)* Carlos, Carlos... Se ha ido por fin. Puedes salir.

CARLOS—*(Sacando la mano. Con voz asfixiada.)* No puedo... *(ROCÍO le agarra de la mano y tira.)* Ay... Creo que se me ha clavado el somier... *(Sale arrastrándose y quejándose.)*

ROCÍO—¿Cómo estás?

CARLOS—Se me ha clavado algo en la espalda...

ROCÍO—A ver... *(Le levanta la camisa.)*

CARLOS—Estoy dolorido y conmocionado.

ROCÍO—Es sólo un rasguño. Debe haber algún muelle suelto.

CARLOS—¿Y qué hago yo aquí? ¿Y qué hago yo aquí?, me pregunto.

ROCÍO—No te enfades. Te prometo que esto no va a volver a ocurrir. *(Mirando a la puerta.)* ¡Será coñazo! Espera, voy a curarte la herida.

CARLOS—No, déjalo, no es nada. Pero... ¿tú has oído, Rocío?

ROCÍO—¿A quién?

CARLOS—A tu madre.

ROCÍO—Hombre, claro que la he oído. Por cierto, ¿qué es eso que le dices tú...?

CARLOS—No ha tenido nunca un orgasmo. Ese dato me lo había ocultado. Es importantísimo, ¿no te das cuenta? *(Coge su libreta.)*

ROCÍO—¿Para qué?

CARLOS—Cuarenta y dos años, veinte de casada y no ha gozado nunca, ¿te das cuenta? Es increíble, una mujer tan vital..., tan...

ROCÍO—Carlos, estás obsesionado con el trabajo. El caso de mi madre es el típico de ama de casa típica.

CARLOS—*(Excitado.)* No digas tonterías, Rocío. Tu madre es una mujer tan especial...

ROCÍO—Me estás hinchando las narices, Carlos. ¿De parte de quién estás?

CARLOS—Rocío, pequeña...

ROCÍO—No me llames pequeña.

CARLOS—Escucha, yo soy un profesional y tengo un caso importante entre las manos.

ROCÍO—*(Le toma las manos y se las coloca en sus pechos.)* ¿Más importante que éste?

CARLOS—*(Después de una pausa.)* No.

RocÍO—Anda, háblame de ti. *(Acariciándolo.)* Nos habíamos quedado en cuando te abandonó tu madre. Me gusta tanto conocerte...

CARLOS—*(Mientras se va haciendo el oscuro. Y se va agitando su respiración.)* Ah, sí. Yo tenía ocho años y la adoraba. Ella era una mujer muy guapa, como tú. Un día se fue temprano de casa y... Rocío, Rocío. *(Se abrazan.)*

(OSCURO.)

ESCENA III

EULALIA, LEONILO, CARLOS, ROCÍO, PACO

(Una semana después. Al encenderse la luz vemos al hombre rubio del maletín salir de la habitación de EULALIA. Baja, atraviesa la sala silenciosamente y desaparece de escena. LEONILO dormita en el sofá del salón. EULALIA, en su cuarto, mucho más delgada y lánguida, abre el cajón de la mesilla de noche y comienza a desenvolver un paquete. Es una pistola. Observa el arma atemorizada. Después, con cuidado, la envuelve y la esconde.

Todo el cuarto está ahora lleno de libros, revistas, cintas de video. Encima de la mesa hay una bandeja llena de comida. EULALIA toma uno de los libros en sus manos.)

EULALIA—Ser o no ser, ésa es la cuestión... ¡Todos muertos! Claro, claro... Pruebas primero, todo tipo de pruebas, ¿qué es culpable?, ¿que no se arrepiente? Entonces, tengo que salvar mi honor. Eso es, mi honor. Y si hay que perder la vida, se pierde. Pero, claro, no en vano. Porque yo me suicido y a él ni lo juzgan. ¿Y si lo juzgan? ¿Y si dejo una nota donde pongo que fue él quien provocó mi muerte? ¿Y dónde dejo la nota...? ¡En el notario! Eso es. Entonces, lo juzgan por homicidio indirecto y... lo absuelven. Seguro que lo absuelven, ¿pues no son solidarios los hombres entre sí con esas cosas? Alegará que mi locura era congénita y a hacer puñetas. No, morirse así, como una mema, yo sola... *(Niega con la cabeza.)* Mira, este Hamlet se llevó a todos por delante y él murió el último, como un señor... ¿Y qué hago? ¿Dios mío, qué hago? ¡Ser feliz! Tengo que ser feliz, eso le dolería mucho más. Además, ¿qué digo? Si ya soy feliz: peso cincuenta y dos kilos, estudio, entiendo, escribo poemas, he descubierto mi cuerpo palmo a palmo... *(Llorando.)* ¡Soy feliz! ¡Paco, Paquito, soy feliz y te lo voy a demostrar...!* (Saca la pistola, cierra los ojos y se apunta hacia el corazón.)*

(Paralelamente a la acción de EULALIA, vemos entrar a CARLOS en la sala acompañado por LEONILO. Parece deprimido y ojeroso.)

LEONILO—Hombre, señor Carlos, se ha adelantado. No se preocupe, enseguida aviso a la señora.

(LEONILO la llama por el teléfono interior del salón. EULALIA, que en ese momento se apuntaba con la pistola en la sien, se sobresalta y corre a coger el teléfono.)

EULALIA—¿Sí?… ¿Sí?…

LEONILO—Señora, el señor Carlos está aquí, se ha adelantado.

EULALIA—No, no importa que se haya adelantado. Dame dos minutos…*(Cuelga.)*

(EULALIA, aturdida, vuelve a esconder la pistola.)

LEONILO—*(A CARLOS.)* Dos minutos. *(CARLOS asiente.)* Entonces, ¿quiere tomar algo, señor Carlos?

CARLOS—No, gracias.

LEONILO—¿Un café, un refresco, un güisquecito? *(CARLOS niega.)* ¿Una aspirina?

CARLOS—No, gracias. Déjame solo, por favor.

LEONILO—Como quiera el señor… *(Se aleja lentamente espiando a CARLOS.)*

CARLOS—*(Hace su ejercicio de relajación activa. Después dice.)* Soy un profesional. Soy un profesional. Soy un profesional. *(Con decisión se dirige hacia la habitación de EULALIA.)*

LEONILO—*(Imita a CARLOS.)* Soy un profesional. *(Da un respingo.)*

CARLOS—*(Llamando a la puerta de EULALIA.)* ¿Se puede?

EULALIA—*(Repara en la bandeja llena de comida.)* Un momento… *(La toma y corre al cuarto de baño. Se oye el ruido de la cisterna. Regresa.)* Pasa, Carlos.

CARLOS—*(Entrando.)* Buenas tardes.

EULALIA—Hola, Carlos, pasa, siéntate.

CARLOS—*(Serio.)* ¿Cómo estás?

EULALIA—Bien.

CARLOS—*(Escrutándola.)* ¿Has salido?

EULALIA—Pues…

CARLOS—No has salido.

EULALIA—Todavía no puedo, Carlos. Estoy muy floja. Me siento tan bien aquí, con mis películas, libros… Ah, he escrito otro poema, ¿te lo leo?

CARLOS—Eulalia, me prometiste que te vestirías y saldrías al jardín. Tienes que empezar a hacer una vida normal. Aquí encerrada no vas a recuperarte… Necesitas el sol, la calle, ver a la gente. Descubrir otra vez el mundo.

EULALIA—*(Tomándole la mano.)* Aquí, contigo y con mis libros, estoy descubriendo el mundo.

CARLOS—*(Soltándose.)* Bien, ahora tienes que confrontarlo con la realidad. Vamos, vístete, vas a salir al jardín.

EULALIA—¿Qué te pasa hoy? Te noto extraño…

CARLOS—Nada. No me pasa nada.

EULALIA—El otro día estuvo muy bien la sesión, Carlos. No pude comentártelo… ¡Como llamó Rocío a la puerta! Pero sentí… sentí…

CARLOS—*(Interrumpiéndola.)* Ya, ya sé lo que sentiste. Creo que podemos dar por finalizada la terapia sexual.

EULALIA—¿Por qué?

CARLOS—Bueno, ya conoces tu cuerpo. Ya sabes que funciona perfectamente. Ése era el objetivo.

EULALIA—El tuyo también funciona muy bien.

CARLOS—Ahora tenemos que resolver otros asuntos.

EULALIA—Qué raro estás, Carlos. Todo el mundo está raro en esta casa, ¿sabes? Rocío apenas me habla. No viene a verme. Me mira como…, como si yo fuese una enemiga… Me espía.

CARLOS—¿Te espía?

EULALIA—Sí, es como… una sensación que tengo. Es como si escuchara detrás de la puerta. Esa niña está muy extraña, deberías hablar con ella.

CARLOS—*(Nervioso.)* Sí… Lo haré.

EULALIA—El otro día cuando te fuiste, vino y me dijo que había escuchado ruidos… ruidos anormales, dijo ella, y que qué hacíamos.

CARLOS—¡No le dirías…!

EULALIA—¿Lo de la terapia sexual? ¡No! Cómo se lo voy a decir… Ella, en el fondo, es todavía una niña.

CARLOS—Además, Eulalia, eso es un secreto nuestro. Un secreto profesional, ¿entiendes? No se lo debes decir a nadie. *(Grave.)* Además, eso se acabó.

EULALIA—Bueno, no te pongas así. Tampoco lo pasamos tan mal…

CARLOS—*(Queriendo cambiar de tema.)* ¿Qué has comido hoy?

EULALIA—¿Hoy?…Pues… Hoy me he comido…, una ensalada mixta. ¿Sabes? He decidido hacerme vegetariana.

CARLOS—Eulalia, todavía estás débil. Hasta que te recuperes tienes que ingerir proteínas.

EULALIA—Sí, estoy débil. Tengo como un globo… espiritual. Sí, estoy dispuesta a perdonar.

CARLOS—Estás mezclando las cosas.

EULALIA—He leído *Hamlet*. Mira, me he dado cuenta que la venganza no tiene sentido, que sólo trae dolor y destrucción. Así que… Voy a conceder el divorcio a Paco.

CARLOS—¿Qué?

EULALIA—Sí, voy a dejarle en libertad. Es como abrir una jaula, ¿sabes? La mía propia. *(Lírica.)* La jaula del pájaro herido…

CARLOS—*(Súbitamente animado.)* ¿Estás hablando en serio? Ya no sé cuándo creerte…

EULALIA—Sí, voy a afrontar el conflicto cara a cara. Voy a llamarle y voy a hablar con él.

CARLOS—Yo creo…, creo que sería mejor que lo hicieses a través de un abogado. No es aconsejable en tu estado tener emociones fuertes.

EULALIA—Ah, no, de eso nada. Yo quiero verle la cara.

CARLOS—*(Inquisitivo.)* Verle la cara, ¿para qué?

EULALIA—Bueno, antes de dar el último paso necesito pruebas definitivas. Tengo que estar completamente segura de mi decisión. ¿Y hay algo mejor que enfrentarme a su presencia física?

CARLOS—Yo conozco otra manera de enfrentarlo que quizá sea más aconsejable por ahora. ¿Conoces el psicodrama?

EULALIA—Ah, sí, es interesantísimo. He leído un libro, me lo dejaste tú.

CARLOS—Te sugiero un trabajo para hoy. Yo seré tu antagonista, es decir, Paco. Creamos la situación del encuentro y tú actúas buscando la verdad, los sentimientos auténticos, ¿qué te parece?

EULALIA—Ah, me encanta, es como un ensayo. Pero… ¿cómo voy a creerme que tú eres Paco? Paco es más alto, más fuerte y calvo. Es miope y cojea un poco de la pierna derecha.

CARLOS—No entiendo cómo todavía puedes tener dudas.

EULALIA—Tú eres mil veces más guapo.

CARLOS—Bueno, no parece difícil… En fin, lo importante es que le eches un poco de imaginación y entres verdaderamente en situación. Yo intentaré ayudarte ¿Tienes algo de ropa suya? Una chaqueta, algo…

EULALIA—Sí. *(Animada, abre el armario.)* Mira, ésta le quedaba muy bien. Y la faja, ponte la faja.

CARLOS—¿Qué dices? La faja, ni hablar…

EULALIA—Es que me estimula mucho, me pone…

CARLOS—Que no, que me da asco…

EULALIA—Pues es lo más suyo.

CARLOS—Dame otra cosa, algo menos íntimo.

EULALIA—A ver… Creo que tengo unas gafas suyas por aquí. Aquí están. Toma, póntelas.

CARLOS—*(Probándoselas.)* Son tremendas. Qué mareo…

EULALIA—No, no te las quites. Con las gafas puestas puedo imaginarlo mucho mejor. Sí, mucho mejor.

CARLOS—Bueno, a ver… Intentaré aguantar.

EULALIA—*(Abre el armario y coge un vestido y unos zapatos de tacón.)* Espérame un momento, voy a vestirme.

CARLOS—No hace falta, Eulalia. En realidad…

EULALIA—¿Cómo que no? Necesito sentirme segura ante él. Segura y fuerte. *(A EULALIA le da un ligero mareo que intenta disimular.)*

CARLOS—¿Estás bien?

EULALIA—Sí, muy bien. Voy a vestirme. *(EULALIA entra en el cuarto de baño. Antes de cerrar la puerta asoma la cabeza.)* Yo te he citado aquí y tú estás esperándome nervioso, impresionado por la situación, ¿qué te parece?

CARLOS—Eso déjalo en mis manos. Yo sé cómo debo actuar.

EULALIA—Vale. *(Cierra la puerta del baño.)*

(CARLOS se abrocha la enorme chaqueta de PACO y se mira al espejo. Toma un cojín y se lo coloca a modo de barriga. Pasea por la habitación ensayando una leve cojera. En la sala LEONILO habla por teléfono.)

LEONILO—Ginoó insót bukok, ipukol slamin at tumakbó bata magandá. Ginoó Carlos una guamanwa ibigin ginang Eulalia, at matapos gumanwá ibigin bimbino Rocío... *(ROCÍO entra en la sala. LEONILO, al darse cuenta, disimulando, dice.)* Sí, sí señor, sí, señor. *(Cuelga.)*

ROCÍO—No sería mi padre, ¿verdad, Leo?

LEONILO—No, señorita, era del tinte.

ROCÍO—Se está retrasando mucho... Dime, Leonilo, ¿qué harías tú si vieses a Nenita-Li flirteando con tu padre?

LEONILO—¿Cómo dice, señorita?

ROCÍO—Nada, déjalo...

LEONILO—En mi familia, señorita Rocío, no hay grandes pasiones. *(ROCÍO le mira sorprendida. El filipino le sonríe.)*

(Aparece PACO.)

PACO—Hola, familia...

ROCÍO—Papá, te has retrasado...

LEONILO—Buenas tardes, señor. ¿Quiere tomar algo?

PACO—Sí, ponme un güisqui con agua, por favor. *(Besando a ROCÍO.)* Lo siento hija, no he podido venir antes. ¿Por qué estás tan nerviosa? ¿Cómo está tu madre?

ROCÍO—Ahora está con el psicólogo. Por eso quería aprovechar este rato para hablar contigo.

PACO—*(Temeroso.)* ¿Es que ya sale del dormitorio?

ROCÍO—*(Dramática.)* A veces va a mi cuarto. Otras observa la sala abstraída pero no se atreve a bajar, parece que le diera miedo. Papá, tienes que volver a casa; mamá y yo te necesitamos. Esta casa..., esta casa sin ti es un caos. Estoy asustada.

LEONILO—El güisqui, señor.

PACO—Gracias Leonilo. Puedes retirarte. *(El filipino asiente y sale. A ROCÍO.)* A ver... Cuéntame. ¿Qué ocurre? Me habías dicho que todo iba bien.

ROCÍO—Eso creía yo, pero qué va. Mamá está... está volviéndose loca de verdad. Ya no es histeria, ¿sabes? Es otra cosa.

PACO—¿Qué cosa?

ROCÍO—Está delgadísima, pálida, y lee, lee libros continuamente. A veces habla sola, recita versos de amor y grita. Grita tu nombre, papi.

PACO—¿Mi nombre? No lo entiendo, hija.

ROCÍO—Sí, dice: "Paco, Paquito..." Y llora.

PACO—Y yo que casi pensaba que ya no me quería. En los últimos tiempos, desde que se veía con la extraterrestre esa estaba tan... arisca.

ROCÍO—Eso sería una crisis pasajera. Mamá nunca dijo que no te quisiera. Nunca.

PACO—O tal vez fuese el principio de la menopausia.

ROCÍO—*(Iracunda.)* No me parece que esté menopáusica en absoluto. *(Pausa.)* Papi, dime, ¿tú crees que podríais arreglar las cosas entre vosotros? Tal vez hablando...

PACO—Pero Rocío, eso es imposible. Estoy rehaciendo mi vida con otra mujer. Yo tengo ahora otros compromisos.

ROCÍO—Pues yo a pesar del pelo te veo muy desmejorado.

PACO—Bueno, todavía no me he adaptado del todo a mi nueva situación. Ahora tengo una mujer joven, exigente... Una nueva casa... Ya sabes que yo estaba muy apegado a mis costumbres, a mi rutina *(Le toca la cabeza.)*, a mi niña...

ROCÍO—¿Y nos vas a dejar así como así?

PACO—A ti no te cambio por nada. Tú eres mi hija y estaré a tu lado siempre que me necesites.

ROCÍO—Te necesito ahora, papá. Necesito que vuelvas y te hagas cargo de mamá, que la saques de ese cuarto, que hagas que vuelva a ser la misma de antes.

PACO—Por Dios, Rocío, ¿la misma de antes?

ROCÍO—Yo la prefiero. Al fin y al cabo era una madre normal. Una madre. Ahora es una pantera.

PACO—¿Qué has dicho?

ROCÍO—*(Titubeando.)* Bueno, que..., que ahora... ahora me temo que va a terminar en un psiquiátrico sin remedio. *(Acusadora.)* Y tú vas a ser el responsable.

PACO—Yo no soy el responsable, Rocío. Yo tengo derecho a disfrutar. Mónica me está descubriendo la vida. Me siento joven, ilusionado. No puedo renunciar... *(Se oye un grito de EULALIA desde su cuarto.)* ¿Qué es eso?

ROCÍO—¿Ves? Es mamá. Se está volviendo loca.

PACO—No saldrá, ¿no? *(Acobardado.)* Prefiero no verla.

ROCÍO—Ven, vamos a la terraza. Están tan mustias las plantas desde que te has ido... *(Salen al jardín.)*

(La luz crece sobre el dormitorio. EULALIA, con un vestido clásico y zapatos de tacón, explica a CARLOS el motivo de sus gritos.)

meta teatro

EULALIA—Si es que me has asustado. Si es que con esa ropa, y esas gafas, y el estómago tan en su sitio, te pareces a él. Te lo prometo.

CARLOS—No fastidies. *(Se quita las gafas y la mira.)* Qué guapa estás. Nunca te había visto vestida de calle.

EULALIA—Me está todo ancho.

CARLOS—*(Embobado.)* Tienes un cuerpo precioso...

EULALIA—Bueno, tendremos que empezar otra vez, ¿no?

CARLOS—*(Saliendo del ensimismamiento.)* Sí, sí, claro. Tenemos que concentrarnos. Meternos en situación.

EULALIA—Siéntate en su sillón, ahí. Vuelvo a salir.

(EULALIA vuelve a meterse en el cuarto de baño. CARLOS se pone las gafas de PACO. Al instante EULALIA sale.)

EULALIA—*(Muy teatral.)* Hola, Paco. ¿Cómo estás? *(Le extiende la mano.)*

CARLOS—*(Se levanta intentando ver algo a través de los gruesos cristales.)* Bien, muy bien, ¿y tú? *(No encuentra la mano de EULALIA.)*

EULALIA—Yo también me siento bien. *(Coqueta.)* ¿Tú cómo me ves?

CARLOS—Mal. Quiero decir que poco, te veo poco.

EULALIA—He adelgazado doce kilos.

CARLOS—Ah, sí, claro. Estás muy delgada.

EULALIA—Siéntate, Paco.

CARLOS—*(Con dificultad consigue sentarse en el sillón. Hay un momento de silencio.)* Ya he visto el jardín. Están un poco lánguidas las plantas...

EULALIA—*(Entrando en situación. Enfadada.)* Menos que tú. *(Conteniéndose.)* Sí, estarán de otoño. Más que nada porque es otoño, ¿recuerdas?

CARLOS—Bueno, me has llamado y aquí estoy.

EULALIA—¿Quieres una copa?

CARLOS—No, gracias.

EULALIA—No me lo puedo creer, tú rechazando una copa.

CARLOS—He dejado de beber.

EULALIA—¿Y qué, ha dado resultado para la impotencia?

CARLOS—*(Levantándose.)* Eulalia, si me has citado para insultarme, me voy. *(Camina cojeando hacia la puerta.)*

EULALIA—Siéntate, Paco, iré al grano.

CARLOS—Te lo agradezco. Mónica me está esperando afuera y tengo prisa.

EULALIA—*(Reprimiéndose.)* No te preocupes, enseguida vas a poder darle una agradable sorpresa.

CARLOS—¿Me vas a conceder el divorcio?

metateatro termina ↲

EULALIA—*(Furiosa, le quita a* CARLOS *las gafas.)* No, así no sería nunca. Estás utilizando una información que Paco no tiene. Me estás estropeando el encuentro.

CARLOS—Yo sé lo que hago, Eulalia. Estamos haciendo psicodrama, no teatro. Tengo que provocarte, que llevarte al límite. Dame las gafas y adáptate a lo que yo te sugiera.

EULALIA—Paco no habla así, no cojea tanto y bebe. Y yo quiero que beba.

CARLOS—¿Para qué?

EULALIA—Cuando bebe le domino.

CARLOS—Pues hoy no va a beber. Sigamos. *(Se pone las gafas.)* Eulalia, ¿qué es lo que querías decirme? *(*CARLOS *imita alguno de los gestos que observó en* PACO.*)*

EULALIA—*(Después de una pausa.)* Paco, me he enamorado.

CARLOS—¿Ah, sí?

EULALIA—*(Concentrada y serena.)* Sí, Paco. He conocido a un hombre increíble. Un hombre joven, inteligente y tierno.

CARLOS—*(Quitándose las gafas.)* ¿Es verdad? No tienes que mentir, ¿eh? No se puede mentir.

EULALIA—No estoy mintiendo.

CARLOS—*(Asombrado e inquieto vuelve a ponerse las gafas.)* ¿Un hombre joven, inteligente y tierno?

EULALIA—Sí, un hombre que me ha enseñado lo que es el arte, el espíritu y el clítoris…

CARLOS—*(Nervioso.)* Me estás mintiendo…

EULALIA—*(Sin mirarlo.)* No, Paco, es la verdad más grande que he dicho en mi vida. *(Lírica.)* ¿Sabes?, la vida es algo diferente a lo que tú me habías hecho creer. La vida es algo más que dinero y formas sociales. La vida es una aventura apasionante que he comenzado a descubrir…

CARLOS—Sí. Pero, ¿con quién?

EULALIA—Eso no importa.

CARLOS—Sí que importa.

EULALIA—Lo importante, Paco, es que tú y yo tenemos que dejarnos libres. Acabar con estos falsos lazos que nos unen. Yo voy a comenzar a estudiar una carrera en la Universidad a distancia.

CARLOS—¿Sí? ¿Cuál?

EULALIA—Sicología.

CARLOS—*(Perplejo.)* ¿En serio?

EULALIA—*(Asiente.)* También he comenzado a escribir. Mira, éste es mi último poema, ¿quieres que te lo lea?

CARLOS—No, déjalo ahora… Déjalo…

EULALIA—Bueno, pues lo que te decía, que voy a estudiar y… Por ahora necesitaré tu pensión, sólo por ahora. Cuando comience a trabajar renunciaré a ella. ¿Estás de acuerdo?

CARLOS—Sí, sí. Pero, ¿quién es él?

EULALIA—Mi ángel azul.

CARLOS—¿Le conozco? ¿Conozco a ese hombre?

EULALIA—Ah, no. No tiene nada que ver con los hombres de tu mundo. Él es un trabajador del alma.

CARLOS—*(Emocionado.)* ¿Y de la mente?

EULALIA—Y de la mente.

CARLOS—*(Se quita las gafas y se acerca amorosamente a EULALIA.)* Eulalia, Eulalia... ¿Por qué no me lo habías dicho?

EULALIA—¿Qué te pasa? ¿Por qué me hablas así? ¿Es que te alegras, Paco?

CARLOS—*(Turbado. Intentando volver a su papel.)* Estoy, estoy tan extrañado... Siento, siento...

EULALIA—¿Qué sientes?

CARLOS—No sé... *(Recobrando el papel.)* Esta casa, nuestra habitación, volver a verte... no sé. Eulalia, me duele que te hayas enamorado de otro tan pronto.

EULALIA—¡Lo tuyo no fue ni siquiera pronto! ¡Fue antes!

CARLOS—Pero dime, dímelo, por favor, ¿quién es él?

EULALIA—¿Para qué? No comprendo tu insistencia...

CARLOS—Es que no acabo de creérmelo...

EULALIA—¿Estás insinuando que miento?

CARLOS—No, no, en absoluto, sólo que... Eulalia, ¿cómo es posible que me hayas olvidado en sólo un mes?

EULALIA—*(Metida en situación.)* Pero qué cara más dura tienes, Paco. O sea, que tú estando a mi lado me olvidas rotundamente. Y yo después de tantos días sola y humillada no tengo derecho a olvidarte a ti. ¿Pero qué te has creído que eres? ¿Has pensado que iba a morirme por ti? *(Se agarra a la silla mareada.)*

CARLOS—Eulalia, lo mío fue un error.

EULALIA—¿Cómo?

CARLOS—Sí, un grave error. Porque aunque lo he intentado, yo no he podido olvidarte.

EULALIA—¿Qué?

CARLOS—Que yo te sigo queriendo.

EULALIA—Que tú...

CARLOS—Sí, gordita, yo te sigo queriendo.

EULALIA—*(Lanzándose amorosamente a sus brazos.)* Paco... Paquito... Dímelo otra vez.

CARLOS—*(Quitándose las gafas.)* Me has mentido. Estabas ensayando la venganza dándole celos. Tú no quieres el divorcio. Tú todavía le amas.

EULALIA—*(Aturdida.)* Carlos... ¿Qué has hecho?

CARLOS—*(Decepcionado.)* No lo has superado. Está claro que sigues enganchada con él.

EULALIA—*(Intentando recobrarse.)* ¿Por qué sabes que me llamaba gordita?

CARLOS—No hace falta ser un lince para imaginárselo.

EULALIA—Estoy… Estoy…

CARLOS—Eulalia, no finjas más. Eres una manipuladora… *(EULALIA se desvanece.)* ¡Eulalia…! ¿Qué te pasa? *(CARLOS la observa y se da cuenta de que es en serio. La coge en brazos con ternura. La acuesta sobre la cama.)* Eulalia, ¿me oyes? *(EULALIA no contesta.)* ¿Qué voy a hacer contigo? ¿Qué voy a hacer conmigo? Creí que era cierto. Pensé que era posible que estuvieras enamorada de mí. Eulalia, mi espiguita morena, mi felina… Vuelve, por favor *(Se acerca y la besa delicadamente en los labios.)*

EULALIA—*(Despertándose.)* ¿Sí…?

CARLOS—¿Cómo estás? ¿Qué te pasa?

EULALIA—Nada, sólo estoy un poco mareada…

CARLOS—Respira, respira hondo…

EULALIA—Zumo, dame zumo de naranja. Está en el baño.

CARLOS—¿En el baño? *(Extrañado, va al baño, vuelve con el zumo.)* Toma, bebe…

EULALIA—*(Bebe.)* Ya… estoy mejor.

CARLOS—Estás pálida…

EULALIA—Son demasiadas emociones, Carlos. Estoy tan confundida…

CARLOS—No te preocupes ahora por eso. Tú respira, respira…Ya vendrá la claridad…

EULALIA—Ya no sé ni lo que siento… Ay, Carlos, qué absurdo es el amor. Yo que le decía a Paco, cuando le tenía a mi lado, que me estaba volviendo loca de atar. Y ahora… Ahora me estoy volviendo loca de amar. *(Se ríe.)* Loca de amar…

CARLOS—Calla, estás muy cansada. Espérame, voy a llamar a un médico. Descansa, Eulalia, ahora vuelvo.

(CARLOS sale y se choca con ROCÍO que estaba escuchando detrás de la puerta.)

ROCÍO—*(Sorprendida.)* Carlos… ¿Ya has terminado la sesión?

CARLOS—Rocío, tu madre está mal. Hay que llamar a un médico. ¿Tienes el teléfono del suyo?

ROCÍO—¿Seguro que está mal? Ya sabes cómo le gusta fingir.

CARLOS—Está mal de verdad. Muy mal.

ROCÍO—Pues ayer no lo parecía. Os oí, escuché todo, Carlos. Mi madre y tú… ¡Me estás engañando con ella!

CARLOS—No es lo que piensas.

ROCÍO—Pero bueno, tú te crees que yo me chupo el dedo. A mi madre podrás engañarla pero a mí…

CARLOS—No es el momento para escenas de celos. Rocío, ya hablaremos.

Rocío—He llamado a mi padre. Está fuera, arreglando las plantas.

Carlos—*(Asustado.)* ¿Que has llamado a tu padre? ¿Para qué?

Rocío—Para que arregle la locura que se ha apoderado de esta casa.

Carlos—Rocío, ¿qué le has contado a tu padre?

Rocío—Le he pedido que vuelva.

Carlos—Pero…

Rocío—Sí. Mi madre está interfiriendo demasiado en nuestra relación. He comprendido lo que pasa.

Carlos—¿Qué?

Rocío—Lo haces por compasión.

Carlos—¿Eh?

Rocío—Tú eres un hombre bueno, con un largo camino espiritual, con gran capacidad de sacrificio. Mi madre es una mujer mayor, rellenita, sin recursos… No te puede gustar. Carlos, no te gustará mi madre ¿verdad?

Carlos—Bueno, yo… No, no es exactamente gustar.

Rocío—Entonces, ¿por qué te acuestas con ella? Y no me lo niegues.

Carlos—¿Se lo has dicho a tu padre?

Rocío—No cambies de tema. Al principio, creí que ella gemía de pena, o que gritaba por los ejercicios esos que hace… Eran sólo sospechas pero…

Carlos—¿Has estado espiándonos?

Rocío—Pero ayer… ¡Dios mío, ayer os lo pasasteis bomba!

Carlos—*(Acorralado.)* Sí. No. Bueno, Rocío, déjame explicarte…

Rocío—Dime que es por compasión. Por favor, dímelo.

Carlos—Tenemos que hablar con tranquilidad. Tengo que explicarte cómo ocurrió todo. Pero ahora hay que llamar a un médico. Es urgente, Rocío.

Rocío—Habla con mi padre, intenta convencerle para que vuelva. De esa manera tú y yo podremos estar tranquilos, confesarle a mi madre la verdad de nuestra relación, incluso… casarnos.

Carlos—*(Dando un respingo.)* ¡Si no llamas a un médico lo haré yo!

Rocío—Estás evadiéndote del asunto.

Carlos—Rocío, ¿no te das cuenta de que estoy desbordado? *(Se arrodilla, fuera de sí.)* Dame un poco más de tiempo, te lo suplico.

Rocío—Una semana más. O resuelves tus dudas o hablo con mi madre y le cuento lo nuestro.

(Entra Paco con un geranio en las manos. Rocío y Carlos disimulan como pueden.)

Rocío—Papá, le estaba diciendo al psicólogo de mamá, a Carlos Jiménez, que hablara contigo.

Paco—*(Mirando fijamente la chaqueta de Carlos.)* Buenas tardes.

CARLOS—Buenas tardes, señor García-Reino. Escuche, me alegro de
que esté usted aquí. Porque creo que Eulalia está grave. Le estaba
pidiendo a Rocío que llamase a su médico.

ROCÍO—Voy al despacho. Están allí los teléfonos...del médico.

PACO—Sí, hija, vete a llamar. *(ROCÍO sale.)* ¿Qué le ocurre a Eulalia?

CARLOS—Creo que sigue sin comer nada.

PACO—Pero Rocío me dijo que había mejorado...

CARLOS—Sí, de ánimo creo que sí. Pero nos ha engañado. He visto
la bandeja en su cuarto de baño: tira la comida al retrete.

PACO—Pero, ¿usted cree que lo hace para matarse? ¿Es posible que
siga pensando...?

CARLOS—*(Mirándole fijamente.)* ¿Y usted? ¿Qué piensa usted?

PACO—¿A qué se refiere?

CARLOS—Me gustaría saber si su decisión es definitiva o es sólo una
aventura pasajera. *(Intenta ponerse en el papel de terapeuta.)* Señor García-
Reino, perdone que le hable así, pero...su mujer no termina de superar
la ruptura.

PACO—*(Halagado.)* Eulalia fue siempre imprevisible. No sabía yo que
me quisiera tanto...

CARLOS—¿Y usted? Veinte años de matrimonio no son ninguna
tontería.

PACO—*(Pavoneándose.)* Bueno, creo que nuestra evolución ha sido
tan dispar... Ella se fue cerrando, limitando mentalmente. Mi carácter
siempre ha sido expansivo, ¿sabe? Creo que Eulalia no supo adaptarse a
mis necesidades.

CARLOS—*(Reprimiéndose.)* ¿Y cuáles, si me permite preguntárselo,
son sus necesidades?

PACO—Bueno, no sé lo que le habrá contado ella. Imagino que ya se
habrá dado cuenta de su tendencia a... distorsionar la realidad...

CARLOS—Si no le importa, le ruego que no la juzgue. Le preguntaba
por sus necesidades.

PACO—Yo me siento joven y emprendedor. Eulalia no supo seguir
mi ritmo.

CARLOS—*(A punto de estallar.)* ¿Su ritmo de qué?

PACO—En fin, son cuestiones muy íntimas. Pero ya que usted me lo
pide, en beneficio de ella, le diré que mi mujer se había abandonado.
Había, ¿cómo decirle...? Había perdido toda capacidad de juego. Había
envejecido interiormente...

CARLOS—*(Furioso.)* ¿Está usted seguro de eso?

PACO—¿Usted qué cree?

CARLOS—Que se equivoca.

PACO—*(Sorprendido.)* ¿Cómo? Entonces, ¿por qué cree que me fui?
¿O acaso piensa que no conozco a Eulalia?

CARLOS—No la conoce en absoluto. Y se fue de su lado porque es usted un gilipollas.

PACO—Oiga, retire eso inmediatamente.

CARLOS—No sólo no lo retiro sino que lo repito…

PACO—¡No se le ocurra o le echo de mi casa sin contemplaciones!

CARLOS—¿Cómo? ¿No será a patadas con la pierna coja?

PACO—¿Quién le ha dicho…?

CARLOS—Es usted un fantasma. ¿No se da cuenta de que yo sé muchas cosas? Conmigo no le funciona lo de la imagen.

PACO—Haga el favor de largarse de mi casa.

CARLOS—Creo que el que sobra aquí es usted. ¡Eulalia no quiere verlo!

PACO—¿No dice que se está muriendo por mí?

CARLOS—No, está enferma de usted. De su maltrato, de su ingratitud, de su barriga, de su faja, de los años que le dio. Todo eso no se supera en un mes.

PACO—*(Agarrando a* CARLOS *por la solapa.)* ¡No consiento que un enano de mierda…!

*(*CARLOS *le pega un puñetazo en el ojo. A pesar de perder la lentilla,* PACO *se lo devuelve. Se enzarzan en una pelea. El jarrón de la mesa cae al suelo.* LEONILO, *borrachín, va recogiendo todo.* ROCÍO *entra y los ve.)*

ROCÍO—¡Papá! ¡Carlos! ¿Estáis locos? ¿Qué pasa aquí? *(Se mete en medio de los dos.)*

PACO—¡Cuidado, no pises, se me ha caído la lentilla!

CARLOS—*(Saca las gafas de* PACO *del bolsillo de la chaqueta.)* Tenga, y déjese de ridiculeces…

PACO—Claro, y ésa es mi chaqueta. Esto es el colmo. ¿Qué hace usted con mis cosas puestas?

ROCÍO—Cálmate, papá, tranquilízate…

PACO—Este tío está loco…

CARLOS—No pienso decirle por qué llevo sus cosas. No se merece explicaciones… Tenga. *(Le tira la chaqueta.)*

PACO—Este individuo es un perturbado, Rocío. No me extraña que tu madre se esté volviendo loca de remate. Me voy, resolveré este asunto por otras vías. Y prepárese porque esto no va a quedar así. Voy a denunciarlo a su colegio profesional. *(A* ROCÍO.) Estoy en mi despacho.

ROCÍO—Sí, papá.

CARLOS—Oiga, su lentilla… *(Señalando un punto del suelo.)* …está ahí.

*(*PACO *se acerca y la pisa. Sale de escena. Durante la siguiente escena, mientras* ROCÍO *y* CARLOS *charlan, vemos a* EULALIA *salir de su cuarto con la pistola en la mano. Parece estar ida. Apunta hacia un lado y hacia otro. Al final, vuelve silenciosa a su cuarto.)*

ROCÍO—Carlos, te has pasado.

CARLOS—*(Aterrorizado de pronto.)* No pude resistirlo… Perdí la cabeza. No sé lo que me pasó. Rocío, ¿por qué te gusto? No puedo entenderlo. Soy el tipo más inestable y desastroso de la tierra. No entiendo a las mujeres; tu madre colgada con ese nastuerzo…

ROCÍO—Carlos, que es mi padre…

CARLOS—Y tú, tú colgada de un tipo como yo. *(Deprimido.)* Un compulsivo crónico, un inmaduro.

ROCÍO—*(Conmovida.)* No digas eso… Cada uno tiene sus neuras. *(Va a besarlo.)*

CARLOS—¡No! Si lo vuelves a intentar… lo lograrás. Y no puede ser. ¡No puede ser! Hoy no, Rocío, si no quieres que me pegue un tiro.

(En ese momento se escucha un disparo en la habitación de EULALIA. CARLOS *y* ROCÍO *pegan un brinco sobresaltado.)*

ROCÍO—¡Mi madre!

CARLOS—*(A la vez.)* ¡Eulalia!

(Se va haciendo el oscuro.)

ESCENA IV

ROCÍO, CARLOS, EULALIA, PACO, LEONILO, SÁINZ

(Pocos días después. La luz se proyecta sobre la habitación de ROCÍO *que contenta canta sobre la música que sale de su compact-disc. Cierra la puerta de su cuarto, descuelga el teléfono y marca un número.)*

ROCÍO—Carlos… Hola, soy yo, Rocío… Muy bien. ¡Muy bien!… Carlos, te llamo porque no puedo resistirlo, tengo que darte una gran noticia… ¡He conseguido una cita entre papá y mamá!… Sí, me llamó mi padre al mediodía y me dijo que estaba dispuesto a volver a casa… No sé, se le notaba muy deprimido. Creo que Mónica le ha mandado a freír espárragos… Sí, creo que le ha dejado. Así que hablé con mamá y la convencí para que lo viera… No, no le he dicho nada, sólo que papá quería verla con urgencia… ¿Lo de Mónica? No, ¿cómo le voy a contar eso, con lo orgullosa que es mi madre? No, no lo aceptaría, menuda es… Ahora… Sí, va a venir papá aquí, a casa… ¿Qué te pasa? ¡Carlos…! ¿Estás ahí?… ¡Estoy tan contenta, Carlitos…! Si todo resulta y se reconcilian se podrían aclarar las cosas y nosotros podríamos… Sí, ya sé que tenemos que hablar pero… ¿Pensar? ¿Qué es lo que tienes que pensar?… Sí, bueno, vale, hasta luego. *(ROCÍO cuelga el teléfono y se queda pensativa.)* No sé, creo que no se lo tenía que haber dicho.

(EULALIA llama a la puerta.)

EULALIA—¿Se puede?

ROCÍO—Sí, pasa, mamá. *(Entra* EULALIA *en albornoz. Está muy recuperada.)* Pero, mami, ¿todavía no te has vestido?

EULALIA—Es que no sé qué ponerme, hija. Me está toda la ropa anchísima. Además, ahora me parece tan horrorosa…

ROCÍO—Tienes que estar muy guapa esta noche… ¿Quieres que te deje algo mío? Seguro que ahora te sirve.

EULALIA—No sé si…

ROCÍO—*(Sacando un vestido mini negro.)* Pruébate éste.

EULALIA—Huy, no, ése es muy corto.

ROCÍO—¿Y qué? Con las piernas tan bonitas que tú tienes… Anda, pruébatelo.

EULALIA—*(Lo coge.)* A ver… *(*ROCÍO *le ayuda a metérselo.)*

ROCÍO—Estás guay, mami, supersexy.

EULALIA—*(Se mira al espejo y se sorprende.)* Huy, qué exageración… Si no me puedo ni mover.

ROCÍO—Que sí, mamá, si es elástico. Respira, mujer…

EULALIA—El caso es que… *(Comienza a hacer posturas delante del espejo. Se contempla entre complacida y asombrada. De pronto.)* No, hija, no, cómo me voy a vestir así para ver a tu padre. Va a pensar que esta casa es un burdel.

ROCÍO—*(Entre dientes.)* Pues más o menos…

EULALIA—Anda, déjame otra cosa. Algo más discreto.

ROCÍO—No te lo quites, mami. Cuando te vea papá así va a caer rendido a tus pies.

EULALIA—No sé a qué viene ahora esa urgencia por hablar conmigo…

ROCÍO—No sé. Ha salido de él. La verdad es que nunca ha dejado de preguntarme por ti. Y desde el día que te pusiste tan mal, el día del tiro, ha estado muy preocupado…

EULALIA—Pues más vale que se preocupe por sí mismo. Tengo fuertes noticias que darle.

ROCÍO—*(Inquisitiva.)* ¿Qué le vas a decir, mamá?

EULALIA—No, nada, nada, cosas de mayores. ¿Sabes, Rocío? El otro día pensé que me moría de verdad. Creo que llegué a ver hasta la luz del túnel, ésa que dicen que hay al final…

ROCÍO—Te quedaste sin tensión arterial, no fue una broma. Y casi nos matas a todos del susto. Mira que, disparar sobre el retrato de tu boda…

EULALIA—Le disparé a él y perdí la conciencia. Fue como un acto simbólico.

ROCÍO—¿Y la pistola, mami? ¿No me vas a decir cómo la conseguiste?

EULALIA—Qué importancia tiene… Por cierto, que se la llevó Carlos y me la tiene que devolver. Bueno, el caso es que al recobrar la conciencia tuve como…, como una revelación.

Rocío—¿Sí? ¿Cuál?

Eulalia—Vi un besugo al horno y un chuletón de ternera. *(Rocío hace un gesto de perplejidad.)* Sí, se movían, bailaban para mí y me llamaban. Era como si quisieran transmitirme un mensaje. Algo así como... come, vive, todos tenemos una misión en la vida...

Rocío—Y empezaste a comer.

Eulalia—Sí. Al principio me costó pero... Estoy muy recuperada.

Rocío—Y yo me alegro tanto... Pues ahora quiero verte salir a la calle... Ven, siéntate aquí que te voy a cambiar ese pelo... No te pega nada con el vestido.

Eulalia—*(Se sienta en una silla.)* Te noto muy contenta...

Rocío—*(Peinándola a la gomina.)* Es que... no sé pero tengo esperanza.

Eulalia—¿Esperanza de qué?

Rocío—De que papá y tú os reconciliéis.

Eulalia—Eso es imposible. Él está con otra mujer y yo..., no le quiero.

Rocío—No digas eso, ¿cómo vas a haberlo dejado de querer en cuatro días? Estás dolida, es lógico pero... Tienes que darle una oportunidad.

Eulalia—¿Por qué dices eso? ¿Te ha dicho que me va a pedir una oportunidad? ¿Qué es lo que sabes?

Rocío—Yo no sé nada, de verdad. Pero tal vez... Mamá, esa chica, Mónica, no es una mujer para él. Tal vez papá se ha dado cuenta y...

Eulalia—*(Nerviosa.)* Rocío, deja de decir tonterías. No me pongas nerviosa. Seguro que tu padre quiere hablarme de cuestiones legales. La repartición de bienes, esas cosas. Yo lo he hablado con un abogado y estoy dispuesta a afrontarlo. También he trabajado mucho con Carlos estos últimos días, la parte afectiva. ¿Sabes? *(Rocío deja de peinarla bruscamente, dejando a su madre con el pelo tieso.)* Bueno, Rocío, yo quería... necesito contarte algo.

Rocío—¿El qué?

Eulalia—Verás, todavía no estoy segura pero... creo que entre Carlos y yo..., podría haber algo más que una relación estrictamente profesional... ¿Entiendes?

Rocío—No.

Eulalia—*(Tímida y contentita.)* Carlos Jiménez me ha dicho que está enamorado de mí.

Rocío—*(Lívida.)* ¡No!

Eulalia—Sí, hija, fíjate, un hombre como él, tan joven, tan inteligente, tan...creativo. El caso es que había notado algo pero hasta después de ese día, el día del tiro, no me lo confesó. No podía creérmelo, hija, nunca nadie me había dicho cosas tan bonitas. Al principio pensé que lo hacía para subirme la autoestima, ¿entiendes? *(Rocío niega.)* Como yo siempre me había sentido tan... poco deseable, tan... gorda.

(Soñadora.) Y de pronto este chico me llama "espiguita morena", "mi felina", "mi luna menguante…"

ROCÍO—No le creas.

EULALIA—¿Por qué?

ROCÍO—Creo que… no es un hombre muy equilibrado.

EULALIA—Bueno, hija, yo tampoco.

ROCÍO—Ni estable de sentimientos.

EULALIA—Yo tampoco.

ROCÍO—Ni legal.

EULALIA—¿Y eso? ¿Qué te pasa? ¿Por qué hablas así de él?

ROCÍO—No, es que… ¿Y tú, le quieres?

EULALIA—No lo sé. No estoy segura de mis sentimientos. Él me embriaga, me calienta la sangre con sus palabras, pero…

ROCÍO—Sigues queriendo a papá.

EULALIA—No. Bueno, no lo sé. Por eso he aceptado verlo esta noche. Necesito saber qué le pasa a mi corazón ante su presencia real, ¿entiendes?

ROCÍO—*(Estallando.)* No, no os entiendo a ninguno. No os creo. Estáis todos locos. ¡Completamente locos!

EULALIA—*(Asustada.)* Rocío, ¿qué te pasa? Tranquilízate… Es por tu padre. Habías pensado que todo podría arreglarse entre nosotros, ¿verdad?

ROCÍO—*(Amenazadora.)* Tiene que arreglarse.

EULALIA—Pero, hija, si tu padre me detesta. Es más, creo que nunca me ha querido.

ROCÍO—Pues ahora te quiere. Me lo ha dicho. Y te va a pedir volver.

EULALIA—*(Después de un momento de mudez.)* ¿Sí?

ROCÍO—Sí.

EULALIA—¿Sí?

ROCÍO—Sí.

EULALIA—*(Después de una pausa.)* ¿Qué hora es?

ROCÍO—Menos diez.

EULALIA—Me voy a mi cuarto. Necesito meditar.

ROCÍO—Mamá, yo rezaré para que tu… inestable corazón lata ante la presencia de mi padre.

EULALIA—*(Sorprendida.)* Gracias, hija.

(EULALIA se dirige a su cuarto.)

ROCÍO—¡No puede ser! Dejarme por una mujer veintitrés años mayor que yo, con el pecho caído, blandita, con tantos problemas… ¡Cambiarme por mi madre! No lo voy a consentir.

(En su dormitorio EULALIA reflexiona ante el espejo.)

EULALIA—Volver… Quiere volver a mí. ¿Qué habrá pasado? ¿Qué me dirá? ¿Cómo estará? ¡Gracias, Dios mío! ¡Gracias por dejarme vivir este momento! Ahora, cuando ya no lo esperaba. Cuando había renunciado. Ahora me lo vas a poner enfrente, agachado, humillado, miope y grueso. Mientras que yo, joven, delgada y deseada le miro, le observo. ¡Me vengo! Hoy va a pagar cada una de mis lágrimas, una por una, despacito, dulcemente... Mis lágrimas van a ser flechas, dardos, balas, esta noche. ¡Gracias, Dios mío! Sabes que nunca dejé de creer en ti. *(Suena el teléfono interior.)* ¿Sí?... ¿El señor? *(Comienzan a temblarle las piernas.)* Sí, claro Nenita, dile que me espere en la sala. Ahora bajo. *(Cuelga.)* ¿Y si mi corazón se dispara ante su presencia? Padre nuestro que estás en los cielos, santificado sea tu nombre, venga a nosotros tu reino, hágase tu voluntad... *(Mira hacia arriba.)* En este momento no se me ocurre otra cosa. *(Se estira el vestido y se santigua.)* Ayúdame. *(Se dirige a la puerta.)*

(Entran en la sala PACO GARCÍA-REINO *y* LEONILO. *PACO está muy nervioso. Va con gafas, traje y corbata.* LEONILO, *borrachito, le ofrece un geranio para que se tranquilice. Paco lo limpia de hojas secas. Vemos llegar a* EULALIA. *PACO la ve y se queda perplejo.)*

EULALIA—Hola, Paco. ¿Cómo estás?

PACO—*(Sin poder articular palabra.)* Yo... Yo... yo estoy bien...

EULALIA—Te veo cambiado.

PACO—*(Tocándose la cabeza.)* Ah, sí, esto... Pero tú, tú sí que estás cambiada. *(Reaccionando.)* Estás guapísima, no pareces tú.

EULALIA—Sigues tan amable como siempre...

PACO—No. Quería decir que...

EULALIA—No te preocupes, te he entendido. ¿Quieres una copa?

PACO—Sí, gracias. Estoy algo...

EULALIA—¿Lo de siempre?

PACO—*(Sonríe.)* Sí.

EULALIA—*(Poniéndole la copa.)* Siéntate. ¿Qué tienes en la mano?

PACO—Ah, unas hojas secas... *(Las deja sobre el cenicero.)* No puedo evitarlo...

EULALIA—Ya. *(Dándole la copa.)* Toma. *(PACO da un largo trago. EULALIA se sienta enfrente de él en actitud de vampiresa.)* Tú dirás.

PACO—Pues... No sé cómo empezar... Bueno, en principio quería decirte que lo siento, que siento mucho que lo estés pasando tan mal por mi culpa...

EULALIA—Perdona, Paco, pero creo que tu información está algo anticuada.

PACO—Bueno, ya veo que ahora estás bien. Me refería a estos días de atrás de atrás.

EULALIA—Me gustaría que fueras al grano. Tengo una cita dentro de media hora.

PACO—Pero, ¿cómo? Creí que no salías a la calle.

EULALIA—*(Misteriosa.)* ¿Quién te ha dicho que la cita es en la calle?

PACO—Ah, ¿y con quién? *(EULALIA le mira agresiva.)* Lo siento, perdona.

EULALIA—¿Qué querías decirme Paco?

PACO—Yo… He roto con Mónica. Se acabó, Eulalia, todo ha sido un error. Un enorme error por mi parte. Me dejé deslumbrar por…, por…

EULALIA—Por su forma de decirte: "Eres tan maduro, tan especial…"

PACO—*(En tono de leve reproche.)* Tú en los últimos tiempos, desde que te veías con la extraterrestre esa, me tenías abandonado…

EULALIA—Estaba haciendo un ayuno sexual. Te lo dije. Claro, que cuando no lo hacía también me quedaba en ayunas.

PACO—¿Cómo?

EULALIA—Nada, tonterías mías… Sigue.

PACO—Yo estaba… Estaba…

EULALIA—Estabas harto.

PACO—Eso. Bueno, no exactamente pero…

EULALIA—No te preocupes, yo sé cómo estabas.

PACO—Entonces, me dejé llevar por las circunstancias. Ella apareció, me envolvió… Pero, en el fondo, no he podido olvidarte. Me fui pero te llevé dentro de mí. Y quiero pedirte perdón. Necesito que me comprendas y… He sido un irresponsable, un imbécil…

EULALIA—Pero lo has pasado bien, ¿no?

PACO—Bueno, no tanto…

EULALIA—Yo no lo he pasado bien, Paco…

PACO—Lo sé, Eulalia, lo sé. Y me siento tan culpable…

EULALIA—Porque mientras tú estabas en Bali yo estaba en el infierno. ¿Conoces el infierno? Es un sitio maravilloso, cálido, rojizo, concurrido…

PACO—Por favor, no me hables así. Yo también llevo unos días horribles…

EULALIA—¿Cuántos? ¿Uno, uno y medio?

PACO—¡No! Tres.

EULALIA—Hombre, qué resistencia…

PACO—Tres días sin poder dormir, ni trabajar, ni comer…

EULALIA—¿Tres días sin comer? Pobrecito…

PACO—Por Dios, Eulalia, te estoy hablando en serio. Estoy muy mal… ¿Cómo pude ser tan cretino? Abandonar mi casa, a mi hija, a una mujer como tú.

EULALIA—¿Cómo yo antes o ahora?

PACO—Tú eres tú siempre. Como seas, como estés, gorda o delgada, joven o vieja, dormida o despierta. Tú eres mi Eulalia. Eres mi mujer. Y eso significa todo para mí. Eres la niña que conocí, la novia que conquisté, la madre de mi hija. ¡Mi Eulalia!

EULALIA—¿Y qué más?

PACO—*(Sorprendido.)* ¿Te parece poco?

EULALIA—Sí, porque he descubierto que soy muchas más cosas aparte de ésas que has dicho.

PACO—¡Déjame conocerlas! ¡Déjame reparar el daño que te he hecho! *(Va hacia ella.)*

EULALIA—*(Separándose.)* ¿Cómo? ¿Cómo vas a repararlo?

PACO—Volviendo a tu lado.

EULALIA—Como si nada hubiera pasado, ¿no? Volviendo para que te ordene el armario y la cabeza. Para que te eche la nutritiva por la noche, para que puedas volver a dar saltitos de mono en la cama un sábado cada quince días…

PACO—Eulalia, ¿qué dices? Estás muy cambiada.

EULALIA—Te lo dije. Yo necesitaría… Necesito… *(Retuerce las manos en un gesto de querer ahogarle.)*

PACO—Yo… estoy dispuesto a hacer lo que me pidas.

EULALIA—*(Después de una pausa.)* ¿Lo que te pida? ¿En qué sentido?

PACO—Desahógate. Sí, estoy dispuesto a hacer lo que tú desees. Ahora, ahora mismo si tú quieres. *(Baja la cabeza en acto de sumisión.)* ¡Humíllame!

EULALIA—Ah. *(Decidida.)* De acuerdo. *(Le mira, da vueltas a su alrededor en actitud agresiva.)* No sé, no se me ocurre nada.

PACO—Tú mandas.

EULALIA—Sí. *(Después de un momento.)* Pues… no sé. ¿Se te ocurre algo a ti?

PACO—*(Sonríe y le toma la mano.)* Qué buena eres, gordita.

EULALIA—*(Mordiéndose la mano.)* No soy buena y mucho menos gordita. Lo que soy es una incompetente. Eso, una incompetente en venganzas.

PACO—Vamos, desquítate, ordéname algo, algo que me duela.

EULALIA—¿Y qué te duele a ti? ¿Qué te duele a ti? Porque, que yo sepa, aparte de la ciática…

PACO—Que por cierto la tengo fatal…

EULALIA—¡Pues baila! Eso es, baila para mí. Baila con dolor.

(LEONILO, que se había caído detrás del sofá y observa la escena, se levanta y pone música estridente. PACO comienza a bailar. Se va animando, divertido. EULALIA lo mira pasmada.)

PACO—Ven, cariño, baila tú conmigo.

EULALIA—*(Quitando la música.)* No, no, déjalo, qué horror, qué sufrimiento, qué sufrimiento…

PACO—*(Encantado.)* Pídeme otra cosa, sin miedo. Vamos cariño, tenemos que empezar a jugar, a divertirnos juntos…

EULALIA—*(Horrorizada.)* ¿Divertirnos? Llevo treinta y cinco días esperando este momento y ahora tú te diviertes.

PACO—*(Tomándola de las manos.)* Eulalia, cariño, ya estoy aquí. Tienes que volver en ti, ser la de siempre…

EULALIA—¡No!

PACO—Estás tan confundida… Soy yo, tu hombre, tu Paquito.

EULALIA—*(Separándose.)* Quita, suéltame. Ya no creo en ti. He perdido la confianza. Además ya ninguno de los dos somos los de antes.

PACO—Yo sí.

EULALIA—No, ahora eres un hombre dejado, besado, tocado, achuchado, introducido en otra. Quita, me das repelús.

PACO—Eulalia, ¿cómo quieres que te pida perdón? ¿Cómo podría probarte mi arrepentimiento?

EULALIA—Muérete, muérete por mí.

PACO—*(Divertido.)* Voy. *(Se tira al suelo y se queda inmóvil. EULALIA y LEONILO se acercan para mirarlo. PACO les hace un gesto infantil. LEONILO se marcha asustado.)*

EULALIA—Basta ya, Paco. Estamos haciendo el ganso. Y yo no gozo, no siento ningún dulce placer…

PACO—*(Ladrando.)* Y ahora soy el perro de la señora más bella de la casa… *(Persigue a EULALIA jadeante. La agarra de una pierna.)*

EULALIA—*(Retirándose a manotazos.)* Quieto, quieto, Paco, déjalo. Esto es una ridiculez. ¡Dios mío qué tragedia! Ahora que tengo la venganza en la palma de la mano me parece todo una gilipollez.

PACO—Eulalia, ¿dices tacos?

EULALIA—Sí Paco, digo tacos, escribo poemas, leo obras de teatro, como sémola de trigo y voy a estudiar una carrera universitaria.

PACO—*(Asustado.)* ¡No!

EULALIA—¿Qué pasa? ¿Te parece tan horrible?

PACO—¿Quién te ha metido todas esas ideas en la cabeza?

EULALIA—No son ideas. Yo soy una nueva realidad.

PACO—Pero… yo te quiero como antes. Te necesito. El mes que viene tengo un congreso en Venecia, tu ciudad favorita. Quiero que me acompañes, necesito a mi lado tu presencia, tu discreción…

EULALIA—*(Interrumpiéndole.)* ¡Eso se acabó, Paco! Yo ahora opino y disiento.

PACO—¿Eh?

EULALIA—Sí. Y disiento de ser un cero a la izquierda, un mueble sin voz. Ahora tomo y doy. Tomo y doy.

PACO—*(Perplejo.)* ¿Te has hecho feminista?

EULALIA—Me he hecho exploradora de la existencia. Qué, ¿qué te parece?

PACO—Ha sido él, ¿verdad?

EULALIA—¿Quién?

PACO—Ha sido ese demente que viene a verte.

(Entra LEONILO precipitadamente.)

LEONILO—Siento interrumpirlos, señora, pero el señor Carlos ha llegado y no quiere esperar.

CARLOS—*(Entrando.)* No, no puedo esperar. *(Mira a EULALIA y lanza una exclamación admirativa.)*

PACO—¿Qué hace usted aquí? ¡Este hombre es una pesadilla...!

CARLOS—Tengo algo que decirte, Eulalia. Bueno, en realidad tengo que decirte dos cosas.

EULALIA—¿Y tiene que ser ahora?

CARLOS—Sí, tienes que saberlo ahora. No puedes dejarte embaucar por... este señor.

PACO—¡Por su marido! Y puestos a hablar, yo también tengo algo muy importante que decirle con respecto a usted.

CARLOS—Y yo con respecto a usted. Bien, empezaré yo.

PACO—De eso nada. Cuando Eulalia sepa lo que yo tengo que decirle, usted quedará totalmente desautorizado ante ella.

CARLOS—Y cuando sepa lo que yo le voy a decir de usted, no querrá volver a verlo nunca más.

PACO—Eulalia, este señor, este "gran psicólogo..."

CARLOS—*(Interrumpiéndole.)* Eulalia, fue ella, fue Mónica...

PACO—¡Cállese la boca!

(EULALIA mira a uno y a otro sin poder reaccionar.)

CARLOS—Sí, Eulalia, fue Mónica la que le dejó. Le dejó tirado como una colilla, y ante su desesperación vuelve a ti. Te está utilizando de segundo plato.

PACO—¡Eso es falso! Dígame, ¿dónde están las pruebas?

CARLOS—Las tengo, pero no quiero involucrar a una tercera persona que...

PACO—*(Quitándose las gafas.)* Hoy le voy a dar todo lo que el otro día me impidieron las lentillas. *(Se lanza hacia él.)*

CARLOS—*(Sacando la pistola.)* Quieto. No se acerque. *(PACO levanta las manos. EULALIA retrocede. CARLOS no sabe qué hacer.)*

EULALIA—Dame eso, Carlos, la tengo que devolver. *(Se acerca tranquilamente a él y le quita la pistola.)*

PACO—*(Acercándose a CARLOS.)* Y ahora qué.

EULALIA—*(Agarrándolo.)* Espera, Paco, escúchame ¡Escúchame! *(PACO la mira.)* No hacía falta que me lo dijera Carlos, yo ya lo sabía.

PACO—Sabías ¿el qué?

EULALIA—Que fue Mónica la que te abandonó a ti. ¿Crees que no te conozco? Han sido veinte años Paquito. Eres incapaz de quedarte ni dos minutos solo. Así que, tranquilo, no te preocupes por eso.

PACO—Gracias, Eulalia *(Mira a CARLOS.)* Pues ahora le toca a usted. *(CARLOS pone cara de terror.)* Decía antes que este señor, este "gran psicólogo", es un impostor. Sí, Eulalia, he investigado y no hay duda, este hombre no es psicólogo.

EULALIA—*(Poniéndose la mano en la boca.)* ¡Ah!

PACO—Ande, niégueselo, sea capaz de negárselo.

EULALIA—Entonces, ¿qué eres, Carlos?

PACO—Un enfermo mental.

EULALIA—Cállate tú, le he preguntado a él. ¿Qué eres, Carlos?

CARLOS—Yo no tengo título, Eulalia, nunca acabé la carrera...

PACO—Ni la empezó.

EULALIA—¡Qué te calles!

CARLOS—Yo comencé como paciente, es verdad. En realidad, casi todos los psicólogos empiezan así. Pero después me fui entusiasmando con las terapias, así que continué haciendo cursos. En mi defensa puedo decir que soy uno de los hombres que más terapias y cursillos ha realizado en este país. He hecho psicoanálisis, conductismo, bioenergética, Gestalt, psicomotricidad, masaje... de todo..., y puedo demostrarlo. Lo único que no tengo es el título universitario.

PACO—Pues se va a enterar, porque he presentado una denuncia contra usted y se le va a caer el pelo.

CARLOS—Siempre podré ponerme un pelucón.

PACO—Le van a hacer tragarse su ironía. Porque usted, además, es un ser peligroso que ha hecho un enorme daño a la mente de mi esposa. Porque ella está enajenada. Y eso es producto de su perniciosa e inmoral influencia.

CARLOS—Ella no está enajenada, usted no sabe lo que dice.

PACO—Lo sé, la conozco perfectamente y ella no es así. ¿No la ve usted? Mire, mírela: esquelética, pálida, perturbada. Vestida como si tuviera veinte años, diciendo incongruencias. Y todo eso por su culpa. Y los delincuentes, amigo, deben estar en la cárcel.

EULALIA—¿Y cómo vas a probarlo?

PACO—¿Eh? ¿El qué?

EULALIA—Que él ha venido aquí, que me ha cobrado diez mil pesetas a la hora por sus servicios como terapeuta, que me ha hecho feliz.

PACO—Me imagino que tú tendrás recibos, ¿no? Tú testificarás.

EULALIA—No, no pienso declarar en su contra.

PACO—Pero, Eulalia, te ha estado engañando.

EULALIA—¿Por qué? Qué legalista eres, Paco. Se aprende con la práctica, con la experiencia, y Carlos la tiene. Es un excelente terapeuta.

CARLOS—Gracias, Eulalia.

PACO—¡Dios mío, estás trastornada!

EULALIA—¡Como sigas llamándome loca voy a perder la paciencia!

PACO—*(Arrepentido.)* Perdona, cariño, pero estoy tan nervioso. Este tipo me saca de mis casillas. *(A CARLOS.)* Bueno, mi mujer y yo estábamos hablando de cosas importantes, íntimas. Le ruego que nos deje solos. *(Agarra a EULALIA.)*

CARLOS—*(Tirando del brazo de EULALIA.)* Yo también tengo que hablar con ella a solas.

PACO—*(Tirando del otro brazo de EULALIA.)* ¿Cómo que a solas?

(ROCÍO, que ha estado espiando todo el tiempo, grita desde arriba.)

ROCÍO—¡Mamá…! *(Todos la miran.)* Mamá, ven un momento. Ven, por favor.

EULALIA—Pero, ¿ahora…?

ROCÍO—Sí, por favor, ven ahora mismo.

EULALIA—Voy, hija, voy. *(A los hombres.)* Ahora vuelvo.

(EULALIA se encamina hacia su hija. Salen por la puerta de arriba. CARLOS y PACO quedan a solas. Se miran en silencio. Tensión.)

PACO—¿Es que se va a quedar aquí toda la vida?

CARLOS—Si Eulalia me acepta, sí.

PACO—¿Qué dice? ¿Qué demonios pretende decir?

CARLOS—Lo que quiero decirle es que estoy enamorado de ella. Y que creo que ella… me corresponde.

PACO—Eso es mentira. Usted es un personaje perverso. Me odia. Está intentando martirizarme…

CARLOS—No, le estoy hablando con sinceridad. Eulalia es… la mujer que siempre busqué. Me vuelve loco.

PACO—Usted ya estaba loco antes de encontrarla.

CARLOS—Sí, puede que tenga razón. Pero, ¿quién no está un poco… Además, a Eulalia no le importa. Y yo quiero vivir con ella.

PACO—*(Furioso.)* No lo voy a consentir. Usted es un impostor, un demente, y voy a mover todas mis influencias para que lo encierren, para que lo aten con una camisa de fuerza… *(Se lanza hacia él.)*

CARLOS—¿Otra vez? Suelte. Está empeñado en que le parta esa cara de memo que tiene.

PACO—Vamos al jardín. Si eres un hombre, sal conmigo ahí fuera. Vamos a resolver este asunto.

CARLOS—Está bien, la violencia es parte del ser humano.

PACO—Déjate de filosofías y vamos.

CARLOS—Vamos.

(Ambos se quitan la chaqueta, el reloj y demás elementos incómodos para la pelea. Salen al jardín. LEONILO va recogiéndolo todo y sale, tambaleándose, detrás de ellos.)

(ROCÍO y EULALIA entran a la habitación de ROCÍO.)

Rocío—Entonces, te lo tengo que decir. Tienes que saberlo.

Eulalia—Vamos, dímelo ya.

Rocío—*(Tomando aire.)* Mamá, Carlos ha estado acostándose conmigo desde el tercer día que puso los pies en esta casa. *(EULALIA la mira espantada sin capacidad de reacción.)* Sí, cuando salía de tu cuarto entraba en el mío y... *(EULALIA le pega un tortazo.)* Mamá...

Eulalia—Rocío, me has engañado. Me has estado tomando el pelo... ¿Cuántos años?

Rocío—No te entiendo.

Eulalia—¿Desde cuándo no eres virgen?

Rocío—¿Qué importa eso? Ahora no te vas a poner en plan madre.

Eulalia—¿Cómo que no? Soy tu madre. Te guste o no soy tu madre y me siento dolida, golpeada...

Rocío—¿Por tu Carlitos?

Eulalia—Por tu desconfianza hacia mí. Porque... ¡Dios mío, qué fracaso, qué rotundo fracaso como madre...!

Rocío—Bueno, mamá, tampoco es para ponerse así. Yo me acuesto con Carlos por amor y me lo confieso los domingos...

Eulalia—¿Ha sido el primero? Dime la verdad.

Rocío—No.

Eulalia—Si me da igual que no seas virgen, Rocío, si lo comprendo. Lo que no soporto es... Claro, aquella mano debajo de la cama. Deliraba, ¿verdad? Aquella manita era... ¡Cómo me habéis tomado el pelo!

Rocío—No te pases, mamá.

Eulalia—Rocío, ¿tan horrorosa he sido como para tener que meterme esas bolas...? Claro, por eso tenías tanto interés en que volviese con tu padre. *(Mira hacia arriba.)* Dios mío, no te entiendo. En unos minutos me lo das todo y me lo quitas todo...

Rocío—Vale, mamá, si ahora va a resultar que tú eres la víctima de todo, como siempre. Pues, no me niego. A mí también me gusta, ¿sabes? Yo le quiero.

Eulalia—¿Que le quieres?

Rocío—Sí, es el primer hombre maduro que ha pasado por mi vida. Es un hombre interesantísimo, lleno de conflictos. ¡Me ha enseñado tanto...! Qué bien lo hace, ¿verdad, mamá?

Eulalia—Sí pero, ¿de verdad le quieres?

Rocío—Tiene algo entre neurótico y sexual que a mí me flipa. Y cómo toca, ¿verdad mami?

Eulalia—Ay, hija, qué cosas tienes...

Rocío—¿No querías sinceridad? Pues vamos a ser sinceras. Nunca es tarde para empezar.

Eulalia—Sí, Rocío, lo hace muy bien. Es habilidoso, generoso, templado...

Rocío—Es como un osito tierno.

EULALIA—Me cuesta, me cuesta hablar así contigo. Pero tienes razón, nunca es tarde para empezar a ser amigas.

ROCÍO—Entonces, reconóceme que te lo has pasado bomba con él.

EULALIA—Pero yo… Lo nuestro era terapia sexual.

ROCÍO—Venga, mamá, no digas chorradas…

EULALIA—Al principio sí, Rocío, te lo juro. Luego, te confieso que había algo más. Era menos técnico, ¿entiendes?

ROCÍO—Entonces, deja de hacerte la víctima y afronta la realidad de las cosas.

EULALIA—Sí, hija, tienes razón.

ROCÍO—Además, Por si no estás segura, él te quiere. He visto cómo te miraba, he oído cómo te hablaba, cómo se enfrentaba a papá. No puedo engañarme por más tiempo, ese canalla te quiere a ti.

(Hay un silencio. Ambas hacen a la vez el ejercicio de relajación activa que les enseñó CARLOS. Se miran sorprendidas y exclaman simultáneamente, ¡huy!)

EULALIA—¿Y ahora qué hacemos?

ROCÍO—Yo me retiro. Hay que saber renunciar a tiempo.

EULALIA—Y yo que pensaba que eras una niña inocente. Sabes mucho de la vida. (Reaccionando.) Y le vas a olvidar pronto. Carlos no es un hombre para ti. No, no es para ti. Rocío, mírame. Gracias, hija, muchas gracias por contármelo todo. Mi cabeza era como un puzzle. Por fin voy encajando las piezas. Gracias, amiga. (Se abrazan.)

ROCÍO—¿Qué vas a hacer?

EULALIA—Aclarar todo esto.

ROCÍO—Mamá, por mí no renuncies a nada. Me gustaría mucho que fueras feliz. Te lo prometo.

EULALIA—No te preocupes, no voy a renunciar a nada. A nada. (Se dirige hacia la puerta.) No me espíes, ¿vale? Prometo contártelo todo como a una amiga, ¿de acuerdo?

ROCÍO—De acuerdo.

EULALIA—Lo nuestro es inevitable, Rocío. Vamos a ser madre e hija toda la vida, toda. Y tenemos que hacerlo bien, ¿eh?

ROCÍO—Suerte, mamá.

(EULALIA baja a la sala. Está vacía. Grita.)

EULALIA—¡Carlos! ¡Paco! ¡Leonilo! (Entra LEONILO.)

LEONILO—Dígame, señora.

EULALIA—Leo, ¿dónde están…? ¿Se han ido?

LEONILO—No, señora, están tirados en el jardín.

EULALIA—¿Cómo?

LEONILO—Ha sido un combate increíble. La señora despierta grandes pasiones…

EULALIA—Tráelos aquí.
LEONILO—Ahora mismo.

*(LEONILO sale al jardín. Al instante oímos las voces de CARLOS y PACO.
Entran magullados y apaciguados.)*

PACO—Eulalia, escúchame, dile a este tío que se vaya. Éste es nuestro
hogar...
CARLOS—Pero no te he dicho ya que...
EULALIA—¡Silencio! Ahora voy a hablar yo. Qué, ¿os interesa? *(Ambos
asienten.)* Gracias. Carlos, creo que tú tienes una conversación pendiente
con Rocío, ¿o no?
CARLOS—*(Rotundo.)* Sí.

*(CARLOS mira hacia arriba. ROCÍO le está esperando con cara de pocos
amigos. CARLOS se dirige hacia ella. Salen.)*

PACO—*(Mirando suplicante a EULALIA.)* Te escucho.
EULALIA—Paco, quiero el divorcio por mutuo acuerdo.
PACO—Pero, Eulalia, yo no estoy de acuerdo. Yo te necesito. Yo sé
que estás resentida pero...
EULALIA—No, Paco, te equivocas, ya no es eso.
PACO—Entonces, ¿qué es?
EULALIA—Que mi corazón no se acelera ante tu presencia.
PACO—No te entiendo. Has sufrido tanto y ahora...
EULALIA. Ahora me he dado cuenta de que... Lo siento, Paco, no te
quiero. No como mi hombre.
PACO—Pero una relación de veinte años no puede morir así.
EULALIA—No, no ha muerto hoy. Hoy vamos a firmar el certificado
de defunción.
PACO—*(Desesperado.)* ¡No! ¡No!
EULALIA—No sufras, Paquito, no sabes de la que te vas a librar. Nues-
tras ondas ya no son las mismas. Yo, desde tu mirada, soy una mujer
enajenada. Y tú, desde la mía, eres un hombre tan cuerdo... Seguramente
ninguno tenemos razón. Pero sería horrible tener que soportarnos. ¡No
puedo ni imaginármelo!
PACO—Entonces, ¿es verdad que estás enamorada de ese... demente?
EULALIA—No te voy a contestar. Ese hombre es parte de mi vida y mi
vida ya es mía, de Eulalia de la Bellavista, señora de nadie.
PACO—No te conozco.

(Entra LEONILO, tambaleándose.)

LEONILO—¿Se puede?
EULALIA—Pasa, Leo.
LEONILO—*(Arrimándoles demasiado el plumero.)* El señor Sáinz ha
llegado.

EULALIA—Bien, dile que me espere. *(Con intención.)* Yo misma le haré pasar.

LEONILO—Muy bien, señora. *(Sale.)*

EULALIA—Había pensado renunciar a mi parte de los bienes, ya sabes que siempre he sido una romántica. Pero no lo voy a hacer. Al fin y al cabo durante veinte años he estado trabajando para ti. Para que ascendieras, maduraras y te pusieras guapo.

PACO—Por favor...

EULALIA—Déjame acabar. Durante veinte años no he tenido otro objetivo que Francisco García-Reino. Sí, porque mi territorio empezaba en tu frente y acababa en tus pies...

PACO—Qué bonito...

EULALIA—No, no es bonito vivir en un espacio tan limitado. Por eso, esta casa y todo lo que tú has comprado en estos años, es fruto de nuestro común esfuerzo. Sería un gesto absurdo regalártelo. Porque yo tengo que empezar, ¿sabes? Y a mi edad es demasiado duro hacerlo sin dinero. Voy a pelear por lo mío.

PACO—Eulalia, me estás dando donde más me duele.

EULALIA—Sólo quiero lo mío. Además, tú te fuiste, Paco.

PACO—*(Furioso.)* Esto sí que no me lo podía esperar de ti. No sólo no me perdonas sino que vas a intentar cortarme el cuello.

EULALIA—No, ya no quiero sangre. Te prometo hacerlo con justicia.

PACO—¿Es definitivo?

EULALIA—Completamente. Tanto como que hoy voy a sentir el sol.

PACO—Está bien, te llamará mi abogado. *(Digno.)* Adiós, Eulalia, adiós. *(Sale.)*

EULALIA—Adiós, Paco.

(CARLOS, empujado por ROCÍO, baja precipitadamente las escaleras.)

CARLOS—Tiene razón. Tiene razón. Tiene razón. *(Mira la sala y ve que PACO se ha ido.)* ¿Se ha ido? ¿Le has dicho que no?

EULALIA—Sí.

CARLOS—*(Reprime su alegría.)* Lo siento. *(Mirando hacia arriba.)* Eso era la segunda cosa que tenía que decirte, lo de Rocío. No, no voy a justificarme, no tengo excusa posible. Pero he intentado hablar con ella muchas veces y... Esa niña es todo un carácter... No me dejaba hablar, me subyugaba. Ése es uno de mis problemas más graves, no controlo mis impulsos. Cualquier mujer que se lo proponga puede llevarme al huerto. Por eso empecé a hacer terapia.

EULALIA—Por eso probaste mi huerto.

CARLOS—No, no digas eso nunca. Lo que siento por ti es único. Creo que es la primera vez que me he enamorado.

EULALIA—Sin resultados para la compulsión por lo que he podido ver.

CARLOS—Sí, tienes razón, no consigo quitarme esa lacra de encima. Sí, no he sido honesto. Tenía que habértelo dicho todo, lo de Rocío, lo del título... Pero me daba tanto miedo. Sé que no me lo podrás perdonar. Pero si me lo perdonaras, si fueras capaz de perdonármelo, me gustaría pedirte algo.

EULALIA—¿Sí?

CARLOS—Quiero vivir contigo. Eulalia, te juro que lucharé sin tregua para dejar de ser un desastre, serte fiel y hacerte feliz. *(Pausa.)* ¿Qué me dices? Si necesitas abofetearme, hazlo.

EULALIA—No, ya te ha dado Paco suficiente.

CARLOS—Pero si tú tienes rabia dame, desahógate. *(Se abre la camisa. Está lleno de hematomas.)*

EULALIA—Madre mía, creo que ya te ha dado él por las dos juntas. Y sin saberlo...

CARLOS—Entonces, ¿no estás muy enfadada?

EULALIA—No, no es exactamente eso... Dime, ¿cómo está Rocío?

CARLOS—Bien, no debes preocuparte, soy un capricho más para ella, un juguete madurito. Pronto me olvidará. *(EULALIA asiente.)* Entonces, Eulalia, ¿qué dices?, ¿Quieres vivir conmigo?

EULALIA—*(Después de una pausa.)* No, Carlos. Quiero vivir sola por primera vez. Acabo de darme cuenta de que necesito empezar a mirar el mundo con mis propios ojos.

CARLOS—¿Durante cuánto tiempo?

EULALIA—*(Seria.)* Quién lo sabe...

CARLOS—Yo puedo esperar.

EULALIA—No, no me esperes, tú vive, disfruta, ¡cúrate! Tal vez, cualquier día en cualquier esquina, podamos reencontrarnos.

CARLOS—Prefiero que me llames por teléfono.

EULALIA—*(Riéndose.)* Vale. Ahora me toca continuar sola el viaje.

CARLOS—Pero, Eulalia, la vida en soledad es muy dura.

EULALIA—¿Ahora me dices eso? Tú que llevas un mes convenciéndome de que tengo que aceptar la soledad, de que tengo que tener una vida propia. Carlos Jiménez, voy a vivirla.

CARLOS—Bueno, al menos no he fracasado como psicólogo.

EULALIA—En absoluto. Eres un psicólogo estupendo, Carlos. Ya quisieran muchos, con muchos títulos. Ahora vete, me están esperando. *(EULALIA se acerca a él y lo besa.)* Gracias por todo. *(Lo vuelve a besar.)* Es que lo haces tan bien... *(Riéndose.)* No me extraña con tanta práctica...

CARLOS—Bueno, entonces, hasta cuando quieras...

EULALIA—Adiós.

CARLOS—*(Va a salir y vuelve.)* Ah, se me olvidaba, tiene usted el alta, señora. Yo, le doy el alta sin observaciones.

EULALIA—Gracias, doctor.

CARLOS—*(Va a salir y vuelve.)* Ah, se me olvidaba, estás preciosa con ese vestido.

EULALIA—Gracias.

CARLOS—*(Va a salir y vuelve.)* Ah, se me olvidaba…

EULALIA—¡Carlos…!

CARLOS—Eulalia, te amo. *(EULALIA asiente sonriendo.)* Tal vez algún día…

EULALIA—Por qué no.

(CARLOS le sonríe y sale. EULALIA espera un momento, después se asoma a la puerta.)

EULALIA—Señor Sáinz, puede pasar. *(Entra el hombre rubio del maletín seguido por LEONILO. Dirigiéndose a éste.)* Y tú a dormir la mona. *(El filipino sale.)*

SÁINZ—Buenas tardes.

EULALIA—Siento haberle hecho esperar. Pero estaba resolviendo asuntos muy importantes.

SÁINZ—No se preocupe. La veo muy recuperada, muy atractiva…

EULALIA—*(Sonriendo.)* Señor Sáinz, cuando quiera puede comenzar con los trámites.

SÁINZ—¿Ya no tiene dudas?

EULALIA—Ninguna.

SÁINZ—*(Abriendo el maletín.)* Entonces, vamos a estudiar la fórmula…

EULALIA—Espere. Dígame, ¿qué tal tarde hace?

SÁINZ—Hace una espléndida tarde de otoño.

EULALIA—¿Le importaría que habláramos mañana? *(Emocionada.)* Me gustaría dar un paseo.

SÁINZ—Por mí no hay ningún problema.

EULALIA—Espere un minuto, voy a coger un abrigo y salgo con usted.

SÁINZ—Cómo no.

(EULALIA, contenta, sube corriendo a la habitación de ROCÍO.)

EULALIA—Rocío, déjame un abrigo ligero, me voy a pasear.

ROCÍO—¿De verdad? ¡Bien! ¿Con quién?

EULALIA—Sola, cariño, sola.

ROCÍO—¿Sola? ¡Qué grande eres, mami!

EULALIA—¿Quieres venir conmigo? Hace una tarde espléndida. *(Cómplice.)* Y tengo que contarte muchas cosas…

ROCÍO—Sí, vamos. *(Le da una cazadora roja y juvenil.)* ¿Te gusta ésta?

EULALIA—Me encanta.

(ROCÍO coge su cazadora. Ambas salen.)

ROCÍO—*(Desde la escalera.)* ¿Quién es ése?

EULALIA—Mi abogado.

ROCÍO—Qué hombre tan interesante…

EULALIA—¡Rocío…! *(Le da un cachete divertida. Bajan y llegan a la sala.)*

EULALIA—Señor Sáinz, le presento a mi hija Rocío.

SÁINZ—Encantado.

ROCÍO—*(Le sonríe.)* Mucho gusto.

EULALIA—¿Vamos?

(Salen ROCÍO y el abogado. EULALIA, sonriente y feliz, echa un vistazo a la sala, apaga la luz y sale hacia la calle. Se va haciendo el oscuro.)

TELÓN

~ ≈ ~

GLOSARIO*

achuchado [coloquial] Con poco dinero; algo difícil, duro o que plantea problemas.

albornoz [sustantivo] Bata larga y con cinturón, hecha con una tela como la de las toallas.

arisco [adjetivo] Áspero, intratable, huidizo. Difícil de tratar o poco amable.

coñazo [vulgar] Algo que resulta insoportable o muy molesto.

espárragos, mandar a alguien a freír [coloquial] Despedir a alguien con aspereza o enojo; rechazar.

flipar [coloquial] Algo que entusiasma o gusta mucho; también, drogarse o entrar en un estado de euforia por efecto de la droga.

guay [coloquial] Significa "muy bueno o excelente"; no cambia de género y tampoco, normalmente, de número.

poner la mano [coloquial] Extender la mano para recibir dinero.

repelús [coloquial] Expresa temor o repugnancia.

requetedormida [coloquial] Profundamente dormida.

somier [del francés, "someier"] Soporte sobre el que se coloca el colchón de la cama.

tanga Traje de bano muy pequeño, que sólo cubre los genitales.

torta, dar una; tortazo [coloquial] Bofetada; golpe dado en la cara, o al caerse o al chocar contra algo.

---

* Nota de Girol: Las definiciones y explicaciones de los "Glosarios" se basan en las versiones en CD-ROM de *Clave. Diccionario de uso del español actual*. Segunda edición (abril 1998), Madrid: Ediciones SM; y del *Pequeño Larousse ilustrado. Diccionario enciclopédico*. Barcelona: Larousse Editorial, S.A., 1999.

Carmen Resino
(1941-)

Escritora prolífica de más de cuarenta obras, hábil creadora de diálogo conmovedor, y persona consciente de las crueldades del poder, Carmen Resino comienza a escribir teatro mientras estudia en la universidad. Licenciada en Geografía e Historia por la Universidad Complutense de Madrid, Resino también realiza estudios de Estética Teatral en la Universidad de Ginebra y cursos de doctorado sobre el Arte de las Vanguardias en la Universidad Complutense de Madrid. Esta formación multi-disciplinaria se manifiesta en sus obras; desde un teatro histórico, como *Nueva historia de la princesa y el dragón* (1988) y *Los eróticos sueños de Isabel Tudor* (1992), hasta piezas construidas dentro de un contexto contemporáneo como *Las niñas de San Ildefonso* (1995) y *Pop y patatas fritas* (1992), hasta aquéllas que confirman el carácter universal de su teatro como *Ulises no vuelve* (1983), *Ultimar detalles* (1990) y *La actriz* (1990).

Su producción alterna entre piezas cortas y largas que se caracterizan por el compromiso social; a veces se inclinan hacia el teatro del absurdo. Se desarrollan en un ambiente moral y emocionalmente cargado dentro del cual sus personajes luchan contra el papel de víctima. Resino prefiere el monólogo con interlocutores imaginarios, repartos de pocos personajes y situaciones sin salida. El público se ve involucrado en lo que allí acontece por el estilo directo del diálogo, por su sentido del humor y por su conocimiento profundo de la condición humana. Con frecuencia su teatro se centra en la tensión entre el hombre y la mujer, no sólo en el terreno de la relación amorosa sino también en los dominios políticos y sociales. El teatro resiniano no es sencillo ni puede ser categóricamente encasillado como teatro feminista del final del siglo XX. Más bien, un estudio cuidadoso demuestra que muchas de sus obras son feministas porque ponen de manifiesto la diferencia inmutable entre las convenciones sociales (que no son más que arbitrarias normas de conformidad) y una integridad que obedece a una justicia más alta.

La autora publica su primera obra teatral, *El Presidente*, en 1968. La segunda obra, *La sed*, sale en 1980, con una segunda edición en 1993. En general, los personajes de las obras de Resino son individuos frustrados pero decididos a tomar el control de su futuro. *La sed*, por ejemplo, es una pieza breve de una intensidad emocional marcada por el desagrado. La protagonista, de veinte años, fantasea delante de un espejo sobre la falta de posibilidades en su vida por ser atrapada en su clase social, su sexo y la falta de opciones. Está harta de trabajar de fregona en oficinas donde los hombres la acosan, o de cajera en un supermercado donde las ricas van de compras. En especial, detesta cuidar a su abuela, un interlocutor silenciado por su propia desesperación y un reflejo del futuro que le espera a la joven. En una silla de ruedas y con una mirada fija, la abuela en vano le pide agua a su nieta que nunca le responde. Se trata de una relación polarizada: la anciana ya acabada, y la nieta, jovencita con fantasías amorosas de fracasos todavía por conocer. La Abuela se muere, aparentemente de sed; la Nieta, pasiva ante la muerte de su abuela, sale a la calle proclamando expresivamente: "¡En fin! ¡Como todos! ¡Todos tenemos sed!" Ahí tenemos el grito de los personajes resinianos que buscan alivio a sus incapacidades y a sus deseos.

Los personajes femeninos no son mujeres poderosas o de alto nivel intelectual, ni se pueden considerar mujeres "modernas" de los ochenta o los noventa atraídas por el feminismo; más bien, son mujeres de toda clase que llegan a la conclusión de que estar sola es mejor que mal acompañada. En *Ultimar detalles*, publicada por primera vez en 1984 y reeditada en 1990, Resino subvierte el mito originado por modelos tales como *Pigmalión*, *My Fair Lady*, y *Pretty Woman* en los que un hombre rehace a la mujer según su propio gusto. Lunarcitos, una cincuentona que conoce muy poco la vida de lujo y de la mujer deseada por toda clase de hombres, está al punto de casarse con un rico. Aunque se da cuenta de que es la única oportunidad de su vida para saber lo que significa ser rica, cómoda, y cuidada, Lunarcitos rechaza, sin dudarlo, al Señor Rueda cuando éste intenta moldearla según su modo de vivir, su vida profesional y sus amigos. *Ultimar detalles* termina con su protagonista celebrando el sacrificio de la riqueza en vez del sacrificio de su identidad.

...*Son los otros*, obra seria y humorística a la vez, se detiene en la trayectoria de personas oprimidas, y destaca por ser la primera obra que la autora dedica a alguien en particular. Aunque claramente no es autobiográfica, Resino escribió ...*Son los otros* después de la muerte de su querido perro "Ari", a quien dedica la pieza. La autora medita acerca de la compañía y el consuelo que representa una mascota para quien lleva una vida solitaria. Elvira, la protagonista, ha vivido un matrimonio convencional durante años, con todos los elementos decorativos y nada de pasión ni de cariño. Su marido, gravemente herido en un accidente de coches que provoca la muerte del perro, es internado en el servicio de cuidados intensivos, mientras que Elvira, en lugar de permanecer junto a él en la clínica, opta por quedarse velando a su mascota. Por primera vez en su vida, Elvira exterioriza sus sentimientos más íntimos y dolientes como mujer que ha sufrido la humillación, el desprecio y el olvido del marido en una sociedad que coloca a los hombres en una posición sociocultural de privilegio. Tal vez el hecho de que Resino elija un escenario vacío donde sitúa a la protagonista sentada en un sillón sugiere que, sobreviva o no su marido, Elvira se ha adueñado del espacio para establecer su propia autoridad e individualidad. Seguramente, condenada por una sociedad que exige un comportamiento preestablecido, la decisión firme y rebelde que adopta Elvira pone de relieve la justicia del modelo personal y moral que Resino plantea y reclama para la mujer. Su atenta mirada a las flaquezas y los esfuerzos de sus personajes, su estilo seguro y fluido, y sus mundos conocidos, se cristalizan en un teatro que sobrepasa fronteras temporales, geográficas, y culturales.

CANDYCE LEONARD
Wake Forest University

~ ~ ~

AUTORRETRATO: CARMEN RESINO

Foto: Candyce Leonard

En realidad, me es muy difícil autorretratarme: pienso que los pintores lo tenían mucho más fácil pues podían quedarse en lo puramente externo sin tener que recurrir a la introspección. ¿Cómo es mi teatro? ¿Soy cerebral o apasionada? ¿Es para mí la literatura una especie de autoconfesión o puramente una reflexión sobre el mundo y las cosas que nos rodean sin que toquen demasiado mi yo íntimo?

Sólo sé que desde muy pronto empecé a hacer teatro. ¿Por qué teatro si se trata de un género especialmente difícil, ingrato y casi todas las mujeres suelen lanzarse por la poesía o la novela? Naturalmente yo también me he acercado a esos géneros porque considero que una faceta no puede ni debe anular las otras y que siempre uno es más completo acercándose a todas las posiciones y pulsando todas las posibilidades.

Pero sí. El teatro me atrajo desde el principio, desde que comencé a verlo y a leerlo, y le encontré tan entroncado conmigo, tan natural en mí, que prácticamente lo tomé como mi género; y cuando me hablaban de las dificultades que encierra, tengo que decir que no veía ninguna. ¿Quiero decir con esto que lo hacía perfecto, que me salía redondo? Desde luego no seré yo quien entre en valoraciones (porque entre otras cosas, ¿qué es la perfección? ¿Debe ser ésta prioritaria en materia artística?), pero sí es cierto que para mí nunca entrañó una especial dificultad. Era mi género, con el que me encontraba cómoda, ágil, como el pez en el agua, y desde los años sesenta empecé a abordarlo decididamente; y después de algunas publicaciones en *Poesía Española*, mi primer libro fue precisamente un texto teatral: "El Presidente".

Aunque yo he hecho también novela, mi fidelidad al teatro ha sido constante y yo diría que apasionada. Desde mi primera obra en los años sesenta hasta el momento, creo tener en mi haber unos cuarenta textos teatrales, muchos de ellos publicados, otros estrenados, pocos ya, afortunadamente, inéditos.

Si mi labor creativa ha sido satisfactoria y prolífica, mi acercamiento al mundo del teatro ha sido, por el contrario, difícil; tan difícil como un parto laborioso. En mi entorno no había nadie de la profesión, mi familia no conocía ni a escritores ni a cómicos: yo era un islote ante mi máquina de escribir. Posiblemente, yo he contribuido a este aislamiento, pues no he gustado de reuniones, conciliábulos ni cosas parecidas: todo ese mundo extrateatral y parateatral, tan necesario para salir a flote, lo he descuidado siempre, aun a sabiendas de que se trataba de un casi suicidio profesional; la prueba es que no se me empezó a conocer hasta la década de los ochenta, cuando yo ya llevaba unos veinte años escribiendo y tenía un puñado de obras a mis espaldas.

Por lo que se refiere a ...*Son los otros*, es una obra clara y decididamente feminista (yo diría más: rabiosamente feminista), no porque yo tuviera un especial empeño, sino porque salió así.

El marido de la protagonista se encuentra después de un accidente de coche en la Unidad de Cuidados Intensivos, pero ella prefiere quedarse velando a su perro que ha resultado muerto en dicho accidente. ¿Y por qué se queda con él hasta que se lo lleven y no está sin embargo en la clínica, en esa clínica "dónde debería estar"? Pues porque "moralmente" se siente más en deuda con ese animal que la ha acompañado durante tantos años, durante momentos en los que estuvo enferma, se sintió vieja y sola, que con un marido que la abandonó precisamente en esos períodos de crisis.

Con el marido le ocurre lo mismo que con un hermano que murió cuando eran niños y que siempre la humillaba. Para su madre, el que ella no llorara, que no se lamentara por la falta de su hermano, era un indicio de falta de sensibilidad. "Esta chica está seca... no tiene sentimientos".

Pero naturalmente que los tiene: sólo extraños y contradictorios para aquéllos que no ven más que la pura lógica que tienen delante y la ortodoxia de un comportamiento. Para ella, para esa protagonista sufriente y olvidada por el marido e incluso por los hijos, humillada por aquel hermano desaparecido, las bestias no son precisamente esos animales leales de cuatro patas, ese animal que la ha acompañado hasta el final sin importarle la vejez o la enfermedad de su dueña: las bestias, son aquéllos que debiéndonos amar, nos olvidan, que debiéndonos ayudar, nos postergan, que debiéndonos reafirmar, nos humillan...

Indudablemente, las bestias... son los otros.

CARMEN RESINO

...SON LOS OTROS

A Ari

PERSONAJES

ELVIRA

(Escenario vacío. Sentada en un sillón, casi derrumbada, con verdadera sensación de pena y abandono, ELVIRA, mujer de mediana edad. Llora en silencio y se pasa con insistencia un klínex por cara y ojos.)

ELVIRA—...La verdad es que tú nunca me miraste como me miraba él, y eso que siempre te has llenado la boca pregonando lo que me quieres... pero tus palabras, tus alabanzas, siempre me han sonado a falso, a contradictorio, y a veces, perdona que te lo diga, a funesto. Porque vamos a ver, ¿qué cuento es ése de que me quieres o me has querido?... Quizás por simple agradecimiento, por comodidad, que te soluciono muchas papeletas; muchas más que tú a mí: "anda, Elvirita, guapa, ven a buscarme hoy, que me he quedado sin coche...", "...lleva tú a los chicos al colegio...", "pásame esto al ordenador... plánchame esta camisa... prepárame una paella, que me apetece una barbaridad... hazme la declaración de la renta, que estoy fatal de tiempo..." "Por favor", ¡eso sí! ¡Siempre o casi siempre "por favor", qué educado eres!... ¡Buena era tu madre para pasarte por alto una incorrección o cualquier salida de tono!, y por eso, por lo de la educación, caes bien, eres tan aceptado en todas partes, que hoy eso de la educación es moneda escasa...

(Breve pausa. Sorbe un momento los mocos y las lágrimas y se vuelve a limpiar los ojos con el klínex.)

Tienes bastantes virtudes, lo reconozco, porque además de educado, de tonto no tienes un pelo, cariño, que casi te consideran una eminencia además de guapo, porque la verdad, no estás nada mal, aunque ya no me gustes: eres elegante, sabes moverte, estar... ¡tienes *savoir faire!* como dirían los franceses... Pero ni tú me quieres a mí ni yo a ti, aunque con todas esas cualidades debería estar loca por tus huesos y agradecerte infinito que vayas pregonando que me quieres tanto: "¡yo, por Elvirita, lo que sea!" Pues no, ¡ya ves!, lo que sea, no. Ni siquiera una mínima parte. Pero la verdad es que queda muy bien y te das más cachet aún: ¡ay, qué ver! Enrique, tan guapo, tan inteligente, tan elegante, tan bien situado, y encima ¡fiel!, ...porque hoy día eso de la fidelidad choca bastante, que tampoco se lleva. Pero según en qué círculos, conviene esa imagen de marido perfecto, que los otros, los que se han dejado la familia por el camino, ascienden menos... A ti, además del ascenso, de la promoción, eso tan importante, que no vives más que para el trabajo, también te gusta sorprender, epatar, hacer lo contrario de todo el mundo por puro narcisismo: cuando vivir por libre no se llevaba, tú te fuiste con aquella alemana a ensayar eso de las relaciones prematrimoniales ¡y armaste un pollo!... Tu madre no te lo perdonó, que bien le he tenido que oír a todas horas la hazaña del hijo libertino y descarriado...; y ahora que importa un pito lo que haga cada uno, a ti te da por lo ortodoxo, por lo formal, por no separarte de mí aunque lo estés deseando, por jugar a la imagen del matrimonio perfecto, por no pedir el divorcio y por hacerte el fiel. Digo por hacerte. ¡Y mira que te he pedido un montón de veces que nos separemos, que me tienes harta!... Tú, cuando lo digo, pones cara de extrañeza, de muchacho purísimo e incontaminado y me preguntas que por qué, si nos queremos. *(Breve pausa.)* No, Enrique, tú sabes que no nos queremos, pero no dejas que la cuestión siga adelante porque no te conviene, y en seguida, muy hábilmente, cambias de conversación. Pero tú no me quieres ni yo te quiero, y sobre todo, nunca me miraste como me miraba él, y en los ojos es donde se nota la verdad de un afecto, todos los sentimientos, los afanes, las contradicciones, si las hay... Las palabras mienten. Las tuyas, más. "Oh, por Elvira, lo que sea". No, Enrique, a mí no me la das. Y sobre todo, querido, tu mirada no me gusta: ni es limpia ni es sincera. *(Breve pausa.)* ...La suya siempre fue otra cosa, y cuando se acercaba a mí, lo hacía sin dobleces, latiéndole ese amor que se le salía por los ojos... ¡por los ojos, Enrique!... Yo entonces le acariciaba, a veces brevemente, demasiado brevemente para su intensidad, un poco como para cumplir con el gesto, un gesto que tenía algo de mecánico, de pura inercia; pero él me lo agradecía de todas formas, porque los enamorados son así, y en esos momentos y en todos los de su vida, yo he sido su única razón de ser y hasta su dios.

(Breve silencio. Se entristece visiblemente y llora en cadencia. Después de unos segundos de discreto llanto, saca otro klínex y vuelve a sorber y a limpiarse nariz y ojos.)

...Ya sé que mi postura es absurda. E irracional. Sí, también irracional, lo reconozco. ¿Por qué dirán que los humanos somos racionales...? ¿Cómo se come eso de la racionalidad...? O peor aún: me tildarán de inhumana, brutal y bestial... Pero lo cierto es que empleamos mal esos términos, porque ¿acaso existe algo más inocente, más controlado, más equilibrado, menos cruel, que una bestia? ... Por el contrario, yo creo que los humanos somos los más irracionales, bestiales y brutales del planeta, con lo cual, si me califican con esos adjetivos, será de lo más adecuado, pero no quiero entrar en análisis. Tampoco tengo ganas de contradecir teorías manidas, estúpidas y sin sentido: se necesita demasiada energía y no tengo ánimos en estos momentos. Si fuera un reo, no haría nada por intentar mi defensa; admitiría que sí, que soy culpable, ¡o quién sabe!, quizás insistiría en mi inocencia, porque lo absurdo, lo bestial, lo cruel, sería, posiblemente, lo contrario de lo que estoy haciendo. Sí, insisto: lo absurdo, lo bestial, lo auténticamente cruel, sería lo otro...; lo que ocurre es que todos nos hemos confundido tanto con la verdad, que hemos hecho de ella un nudo imposible en nuestras gargantas... un nudo que cada vez aprieta y asfixia más.

(Breve pausa. Puede encender un cigarrillo.)

Pero lo que está claro es que, según las normas, esas benditas normas que nos inutilizan, no estoy donde debería estar. Y el no estar donde se debe estar, es malo, incluso nefasto, en todos los aspectos de la vida. Es la gran equivocación; una equivocación que puede hasta costarnos la vida, eso tan frágil que tenemos... Porque lo cierto es, que si se quiere tener medianamente éxito o no sufrir al menos demasiado, hay que procurar estar siempre donde se tiene que estar... o lo más cercano posible, y yo, en estos momentos, conscientemente, no estoy donde debería estar. Mi puesto, entre comillas, con énfasis, está en otra parte: en ese hospital donde Enrique se debate entre la vida y la muerte... *(Ríe a su pesar un poco sarcástica.)* Bueno, dicho así, resulta muy solemne. Mi marido nunca se ha debatido entre nada y no va a cambiar a estas alturas de costumbres. Nunca fue un hombre de conflictos. Mi marido simplemente está grave, o muy grave, pero saldrá de ésta... sí, seguramente. Tiene buena salud y es joven todavía. Al menos, es lo que repite siempre. *(Breve pausa.)* ...Pero el otro no. El otro se me ha quedado en el camino. Se me ha muerto, y eso ya no tiene remedio y menos para mí, que noto su falta y su amor como un quiste que me carcome sin piedad en mitad del pecho... *(Nueva pausa. Fuma posiblemente y hace esfuerzos por no llorar.)* El otro no. El otro no ha sobrevivido... no habrá intervención que le cure, que le salve para mí. El que de veras me amaba, ya no existe...; seguramente, ya no es nada. Sólo está ahí, con su dramática presencia, sobre su cojín de siempre en el rincón, embutido en un interminable sueño entre plácido y amargo: plácido, por el descanso que supone el no ser; amargo, porque ya no podrá verme, sentirme, alegrarse por mí y para mí, y sobre todo, porque no podré verle yo que era el reflejo de su contento... nunca más. Él ya sólo es el reflejo de mi pena, la plasmación de mi dolor, y ésa es la desesperación del que sobrevive...

(Breve silencio. Se levanta con cansancio. Pasea un poco con la obsesión y desorientación de quien no sabe dónde está o no le importa.)

...Hasta en esto, querido marido, me has hecho la pascua. ¡Tuviste que llevártelo! ¿Por qué, si su presencia te daba lo mismo, si no significaba para ti más que exhibición, prepotencia de mando? "Mirad, hace todo lo que le digo... A ver, échate, levanta, ven aquí..." Sí, tuviste que llevártelo para presumir ante tus amigos, y encima, conducir mal, con esa arrogancia que te caracteriza... porque todo ¡cómo no!, lo tienes que hacer bien, ¡mejor que nadie!, y conducir... ¡no digamos!... Todos los conductores son idiotas, menos tú. O indocumentados. O miedosos. ¡Tú no! Tú eres muy valiente, muy hábil, muy arriesgado... ¡tú tenías que arrasar!... ¡qué ibas a hacer tú caso de la velocidad aconsejada!... ¡eso se queda para los memos y los pusilánimes!... ¡menudo eres tú para que te aconsejen!... ¡ni la Dirección General de Tráfico!... Y tu fatal arrogancia, me ha dejado sin él.

(Breve silencio. Vuelve a dejarse caer en el sillón.)

Sí, ya sé que no estoy donde debería estar... que resulta chocante que esté ahora aquí, en esta habitación, sola, velando a mi perro, mientras toda mi familia está esperando en aquel hospital... Pero yo me siento mejor aquí, acariciando sus orejas que ya no serán tiernas ni flexibles, y ese hocico que nunca más volverá a husmear. *(Breve pausa.)* Pero yo debería estar allí, en esa anónima y sufriente sala de espera, al menos para cubrir las apariencias, intentando lloriquear un poco, aunque no logre más que apariencia de lágrimas..., porque quien está en la sala de operaciones es al fin y al cabo mi marido, el padre de mis hijos... ¡pero cuesta tan poco ser el padre de unos hijos!... ¡y en cuanto a marido!...

(Fuma. Deja escapar el humo.)

Mi madre decía a veces que yo no tenía sentimientos. Y lo repitió en multitud de ocasiones, sobre todo a partir de la muerte de mi hermano Luis. Luis me llevaba dos años. Le dio, según nos contaron, un raro sarampión y se murió en menos de una semana. Mis otros hermanos lloraron mucho, y yo, sin embargo, no solté una lágrima. Mi madre me decía extrañada: "¿no echas de menos a tu hermano?"... Y yo la miraba fijo, como acusándola por la pregunta y denegaba con la cabeza. "Está seca", decía entonces ella refiriéndose a mí. "Seca de sentimientos".

(Nueva pausa.)

Con mi hermano me pasó como con Enrique: no se me entregó nunca, no intentó hacerme feliz, condescender, entenderme un poco... Mi hermano disfrutaba haciéndome rabiar: se llevaba todos mis juguetes, escondía mis libros, descabezaba cruelmente mis muñecas favoritas... A veces, cuando le increpaba o no conseguía sus propósitos, me insultaba con inusitada crueldad haciendo hincapié en lo que más me dolía, y esto me humillaba y durante mucho tiempo, hizo que me sintiera insegura... "Eres tonta", decía, pero dicho con un tono oscuro, profundo, tremendamente corrosivo, de intensa maldad...; "tonta y estúpida... nunca podrás hacer lo que hacen los demás... nunca les llegarás a la suela de los talones... serás el último mono, la imbécil de la clase o de cualquier grupo... la peor de tus amigas, es mucho mejor que tú... yo, como hermano tuyo, me avergüenzo"... Mi timidez, mi inseguridad, esa timidez e inseguridad que me amenazaron y persiguieron tanto tiempo, se las debía a él, germinaron en sus ataques, y sólo cuando desapareció, empecé a notar que podía liberarme, respirar de otro modo, quitarme los andadores y muletas que él, fatalmente, me había incorporado. "Esta niña está seca... no tiene sentimientos" repetía mi madre. Lo mismo diría ahora si me viese. Y también: "¡estás loca! ¿qué van a decir de ti?... El pobre Enrique allí, jugándose la vida, y tú acá, velando a un perro!"

Hay que puntualizar, mamá: en primer lugar, no es un perro cualquiera ¡es mi perro!, posiblemente el macho que más me ha querido. Mi marido, mamá, nunca me dio nada... ¡bueno, dos hijos y algunos momentos de placer! Poca cosa en suma. Hijos, tiene todo el mundo, y el placer, si sólo es placer, se volatiliza... Enrique, no te engañes, nunca me quiso, aunque ahora juegue, porque le conviene, a la aparente y fácil fidelidad. Es fiel porque yo no investigo, no ahondo, no quiero saber... ¿qué más me da ya lo que haga o deje de hacer? El llega a casa, ve la televisión, cena, pregunta a los chicos por sus estudios, se va a la cama y ahí acaba todo. No hay conflicto, pero tampoco hay más. ¡No hay nada, mamá, nada! ¿Qué importa así la fidelidad si es que existe?

...Y sin embargo tú lo sabes y si no te lo digo, Enrique me falló cuando más le necesitaba: ¿te acuerdas de cuándo empezó lo de mi enfermedad? Ahí sí que yo me estaba jugando la vida... Bueno, y ahora, que con estas historias nunca se sabe... Entonces sí que tuve encima la espada de Damocles sobre la cabeza...apuntándome bien...; ahora parece que se ha desviado un poco, ¡pero a saber!

(Breve pausa. Vuelve a fumar.)

Me encontraba fatal, de cuerpo y de espíritu: no es tan fácil admitir una sentencia así aunque vaya envuelta en un muy moderado optimismo "señora, esto ya se cura, no es como antes...el ochenta por ciento de los casos si se cogen a tiempo... tenga ánimos y esperanza, y sobre todo, ponga mucho de su parte..."

¡Claro que intentaba poner de mi parte!, pero no podía. Ni poco ni mucho. Me encontraba fatal: fea, vieja, cansada, enferma, sentenciada a muerte... Y para colmo, se me caía el pelo a mechones con aquel tratamiento...

(Breve pausa.)

¿Y tú qué hacías, marido mío? ¡Pues contarle tus penas, tus problemas familiares a esa compañera de oficina recién separada y con ansias de hombre!... Sí, querido esposo: ¡mientras yo me moría de tristeza y otras cosas y me quedaba calva, tú olvidabas tus preocupaciones en la entrepierna de esa cachonda que te traía a mal traer!... ¡Te encontrabas tan mal, tú, qué ironía! ¡Estabas tan desesperado, sufrías tanto por mí, que tenías que olvidar tus penas olvidándome!... ¡Menudo cinismo el de tu amor!...

(Breve silencio. Vuelve a levantarse.)

A él, por el contrario, no le importaba que yo estuviese enferma, que me sintiera enormemente deprimida, que me quedase calva, que se me estuviera estropeando por momentos la piel... Yo, para él, era yo, a pesar de mis taras, mis defectos, mis deficiencias, mi agonía... Él, querido, se quedaba conmigo cuando tú me dejabas sola y contrarrestaba a raudales, tu amor escaso. Venía, se tumbaba junto a mí, apoyaba su testuz sobre mis piernas y me miraba con una hondura, con una comprensión, como ningún ser humano me ha mirado. Y resistí por él. Por él, no por ti, querido esposo, ni por mis hijos, que aunque no son malos, son bastante indiferentes. Por él. Por su afecto, su fidelidad y su tesón.

Y ahora, por ese afecto, esa fidelidad, por ese tesón en quererme, me quedo aquí, junto a él, hasta que se lo lleven, y después, cuando desaparezca por completo de mi vida, lo habré incorporado en mí, en la más profunda memoria.

(Nuevamente pausa. Pasea.)

"Esta hija mía no tiene sentimientos..." Sí, mamá, los tengo: lo malo es que no se puede amar a todo el mundo. O lo bueno, porque quizás no sería justo. Y yo he elegido. Por eso me he quedado aquí, junto a él, velando su sueño de bienaventurado... Sé que muy pocos lo entenderán, o ninguno, que mi postura resultará extraña o como poco, inusual... Ya sé que puede sonar a disparate y casi, casi a blasfemia para los ortodoxos, para todos esos que siempre tienen la lección muy aprendida y están llenos de fórmulas, pero me siento peor que si me hubiera quedado viuda. Sí, mamá, no te escandalices: viuda.

Recuerdo que alguna vez, cuando nos veías a los dos juntos, me preguntabas un poco extrañada, que a ti los animales no te iban mucho: "¿Cómo puedes querer tanto a una bestia?"

Y yo también recuerdo que una vez, mirándote muy fijo, como cuando me preguntaste si no echaba de menos a mi hermano, te respondí: "las bestias son los otros".

(Breve silencio.)

(Para sí.) Exactamente: los otros.

F I N

~   ≈   ~

GLOSARIO*

epatar [Del francés "epater"] Asombrar, sorprender.
memo [sustantivo] Tonto, simple o necio. Su uso es peyorativo.
raudo; raudal; a raudales Rápido, veloz; abundancia de agua que
    corre fuertemente; abundantemente, en cantidad.
reo [sustantivo] Prisionero; una persona encarcelada.

~ ≈ ≈

* Nota de Girol: Las definiciones y explicaciones de los "Glosarios" se basan en
las versiones en CD-ROM de *Clave. Diccionario de uso del español actual.*
Segunda edición (abril 1998), Madrid: Ediciones SM; y del *Pequeño Larousse
ilustrado. Diccionario enciclopédico.* Barcelona: Larousse Editorial, S.A., 1999.

MARGARITA SÁNCHEZ ROLDÁN
(1962-)

Margarita Sánchez Roldán nace en Madrid en 1962. De niña se cría en una familia numerosa en un barrio obrero de la capital. A los once años queda huérfana de padre y, al completar el octavo, abandona los estudios formales e ingresa en el mundo laboral. Su afición por el teatro nace a finales de los años setenta cuando Sánchez se solidariza política y artísticamente con el grupo teatral "La Tabarra" con sede en la Asociación de Vecinos de La corrala. Estos primeros esfuerzos colectivos producen obras de índole política que muestran las preocupaciones e inquietudes del grupo, y reflejan los cambios socio-políticos que se introdujeron durante la transición en España (1975-79). En 1980 Sánchez decide dedicarse profesionalmente al teatro y se junta con cinco miembros de "La Tabarra" para montar la compañía de teatro, "Cocktail T.P." (inédita). En espacios alternativos y para públicos jóvenes, "Cocktail" realiza varias obras experimentales salpicadas de una libre infusión de música, literatura y poesía que dan salida a gustos y realidades marcadamente juveniles y urbanos. Entre 1980 y 1991 Sánchez trabaja como escritora e intérprete en "Cocktail" y, en 1982 nace su primera obra, *¡No!, ¿No?, ¡No!, ¡Noo!... Fiebre del sábado por la noche*. Durante este período crítico en la formación artística de la autora, Sánchez participa en talleres de arte dramático con Fermín Cabal y Paloma Pedrero, conoce y colabora con otros dramaturgos de su generación como Ignacio del Moral (*Historias para-lelas*), y descubre no sólo el gusto por escribir sino también un lenguaje y formas expresivas propios. En 1989 gana el premio accésit del Marqués de Bradomín por *Búscame en Hono-lulu,* comedia que intercala intrigas amorosas con otras de *suspense*. A la vez, esta obra evoca el semblante caprichoso de la vida, del amor y desamor, y de la suerte. En los años noventa, Sánchez sigue creando obras teatrales infantiles y para adultos, de vertientes populistas y experimentales. Entre ellas hay que incluir: *La misteriosa venganza de Thomas Kraus* (1990); *Rinconete y Cortadillo* (adaptación de la obra cervantina); *Sobre ascuas* (1996); *El secuestro de la bibliotecaria* (adaptación del cuento del mismo nombre); *Cuentos de papel* (1996, y finalista del Premio MAX 1998); *¡¡Aquí quién limpia!?* (1997); *Las aventuras de Viela Calamares* (1999, escrita con Ana Rossetti y Paloma Pedrero); y *La antesala* (2000).

Por lo general el teatro de Sánchez se engendra en el impulso creativo de querer contar bien y con gracia. Autodidacta y sin mucha preocupación por las estructuras formales del arte dramático, Sánchez sigue una orientación indiscutiblemente propia. Es así como crea un teatro que sale desde la práctica y que destaca por una espontaneidad rebosante y contagiosa. Si la autora rechaza cualquier denominación política, sus obras, sin embargo, exhiben un compromiso político a través de su predilección por temas sociales que reclaman justicia e igualdad universal, y por personajes más bien callejeros y desprivilegiados que alcanzan a sobrevivir y aun a superarse.

Hormigas sin fronteras (1996), obra musical infantil escrita para la compañía teatral "Cuarta Pared", cristaliza las características más sobresalientes de su teatro: reparto de personajes jóvenes y contemporáneos; lenguaje vivo, cotidiano y de jerga callejera; diálogos de ritmo rápido y entrecortado; espacios limitados con escenografía mínima; estructura sencilla; estilo sainetesco; temas actuales que se inscriben dentro de un realismo urbano donde predomina la lucha por la sobrevivencia, la actualización personal, la búsqueda por la justicia universal y el uso constante y acertado del humor. De manera ingeniosa y divertida, Sánchez yuxtapone una historia moderna y verosímil de abuso de poder, de acoso sexual y de luchas desequilibradas y quijotescas a unos paradigmas estructurales y estilísticos reconocibles en los cuentos de hadas tradicionales. La autora no se limita a contemporizar el cuento de hadas sino que se atreve a transgredirlo al presentar una versión distinta desde un punto de vista femenino: el papel individual de protagonista ahora es colectivo; los registros del heroísmo se expanden a incluir no sólo las hazañas quiméricas legendarias sino también las hazañas del vivir diario; se sustituye la pasividad femenina por la actividad, la fuerza bruta por la fuerza del ingenio; y la máxima dicha no es el casamiento sino la realización personal. En *Hormigas sin fronteras* Sánchez nos perfila a tres señoritas jóvenes unidas por la amistad y el cariño, de clase obrera, sin educación ni recursos económicos, quienes logran transformarse en unas heroínas inesperadas. Aunque llevan una vida de mucho trabajo con pocos ingresos y menos reconocimiento, son unas trabajadoras cuidadosas y responsables que no aspiran más que a la sobrevivencia diaria. Cuando las exigencias laborales y machistas sobrepasan los límites de la dignidad, se rebelan en contra del sistema y deciden remediar su situación con la misma fuerza de voluntad, destreza, y solidaridad femenina que anteriormente las animaban. La autora desarrolla la evolución política y personal de unas mujeres de espíritu aventurero e indomable, quienes logran reinventarse y hacerse dueñas de su propio futuro. En el proceso, descubren que pueden y que, quizás, deben dejar su sello en el mundo también. *Hormigas sin fronteras* es un manifiesto risueño y elocuentemente sencillo de las posibilidades infinitas del ser humano, pero en modo particular de las mujeres —las últimas en ratificar su presencia en la sociedad en que vivimos.

IRIDE LAMARTINA-LENS
Pace University

Autorretrato: Margarita Sánchez Roldán

Foto: Candyce Leonard

Nacida en Madrid de padres y abuelos madrileños (dato que suelo dar con orgullo). Licenciada en relaciones personales y besos por la Facultad de la esquina de la calle del Águila, lugar donde nací y donde aprendí a observar a mis vecinos y a practicar los besos de tornillo que se daban las parejas en los portales. Desde entonces no he salido de la calle del Águila.

Cuando en París se vivía el mayo del 68, yo iniciaba mi propia revolución cultural disfrazada de pastora con garrote y cantando el "¡Ay, ay, ay, ay! Qué trabajo nos manda el Señor" en una función del colegio.

A los trece años, tras la muerte de mi padre, se acabaron los disfraces del colegio y entré sin preparación alguna en el mundo de los adultos. Trabajé en una empresa inmobiliaria durante más de cinco años, donde aprendí que los papelitos alargados que llegaban a mi casa mensualmente se llamaban "letras de cambio" o "efectos". Por mis manos pasaban a diario miles de estos papelitos a los que yo tenía que marcar con un fechador que me dislocaba la muñeca y me dejaba las manos llenas de tinta.

En la monotonía de fechar y fechar durante horas, tuve mis primeros pensamientos filosóficos y decidí que aquello no era vida y que algo tendría que hacer para cambiarla.

A los pocos meses ingresé en al Partido Comunista de España y me detuvieron al segundo día de militancia política.

Aquello me convirtió en una heroína de izquierdas y me gané el respeto y la admiración de mis camaradas que vieron en mí un posible "cuadro" del Partido. Me nombraron Presidenta de la Asociación de Amas de Casa Castellanas. Cargo que me venía grande a todas luces.

A los quince años comenzó mi primera crisis personal y volví a dar una nueva orientación a mi vida.

Me enamoré de un camarada del Partido y como yo ya sabía besar muy bien conseguí enamorarle y me casé con él inmediatamente.

A los 17 años empecé a hacer mis primeros pinitos con el teatro.

Abandoné definitivamente la Presidencia de la Asociación de Amas de Casa Castellanas y empecé a militar en el movimiento ciudadano. Siempre he sido una mujer comprometida con las causas perdidas o a punto de perderse.

En la Asociación de Vecinos "La corrala" trabajé en mi primera obra teatral con un texto de Gerome Savarí: "Los últimos días de Soledad de Robinson Crusoe" en la que participábamos quince miembros de la asociación.

Entre todos asumíamos las tareas de puesta en escena de la obra. Un verdadero trabajo colectivo con el que jamás volví a encontrarme.

Después de dos semanas representando la obra en la Asociación de Vecinos, la Junta directiva decidió que teníamos que irnos con la música a otra parte porque ocupábamos la sede de la asociación en actividades que nada interesaban al entorno social del barrio.

En el año 80 un grupo de intrépidos ciudadanos desterrados de su asociación de vecinos decidieron montar compañía y hacerse profesionales. Así nació "Cocktail", grupo al que estuve ligada hasta su desaparición en el año 1990.

Al igual que mi misión en la inmobiliaria era la de fechar las letras de cambio, mi misión en "Cocktail" era la de escribir los textos de los espectáculos que nos proponíamos montar. Nunca los firmé con mi nombre pues entendía que eran creaciones colectivas. Dentro de los espectáculos que "Cocktail" montaba, siempre había alguno dirigido al público infantil.

"La verdadera historia de Tartán, el Rey de la Jungla", "Historias de amor muerte y pasión sin ninguna conexión", "¡No!, ¿No?, ¡No!, ¡Noo!…. Fiebre del sábado por la noche en cuatro tiempos", "Una del Oeste" (de Ignacio del Moral), "La misteriosa venganza de Thomas Kraus", "El caso del repollo con gafas" (de Ignacio del Moral), "Historias para-lelas" (de Ignacio del Moral y Margarita Sánchez), y "Escupir en corro". Fueron las obras que "Cocktail" puso en escena hasta su desaparición.

En el año 1987 tengo el deseo de separarme y como si de un cuento de hadas se tratase veo cómo lo consigo sin que mi pareja oponga resistencia. Comienza a nacer en mi un sentimiento trágico de la vida al comprobar que todo depende de uno mismo.

En 1989, recibo un accésit del Premio Marqués de Bradomín por mi obra *Búscame en Hono-lulu*. Una obra que escribí al sol del balcón de mi casa un verano en que estaba ociosa en contra de mi voluntad. Nadie de mi familia (únicos lectores que tenía a mano) apostaba una gorda por ella. Decían: "Bueno, no está mal pero es como tú hablas. Además, nadie escribe tomando el sol como si estuviera en la piscina. Para que te salga algo que merezca la pena, tienes que sufrir".

Cuando recibí el premio una segunda lectura de la obra hizo cambiar la opinión que mi familia tenía sobre mí.

Descubrí la importancia de los premios.

A partir del año 1991 comienza mi carrera en solitario. También empieza el difícil momento de asumir que muchos de los textos que escribiré en adelante se quedarán en el cajón de mi escritorio. "Hoy, gran acontecimiento!", "El lenguaje de las abejas", "Sobre ascuas", y "El sueño de Violeta", son algunos de estos ejemplos.

Después vinieron los encargos: "Rinconete y Cortadillo", "El secuestro de la bibliotecaria", "Cuentos culinarios", y "Don Papelaez".

Hormigas sin fronteras. Nominada a los premios MAX como mejor espectáculo infantil de la temporada.

Han sido mis últimas incursiones en la autoría.

Como todo en esta vida me llega con retraso o demasiado pronto, desde hace cinco años he descubierto mi verdadera pasión: los libros. Soy una apasionada de las librerías y bibliotecas y a veces descuido mi vida social por quedarme en casa leyendo.

Sigo besando muy bien pero nunca he vuelto a vivir con otro hombre. Mi última relación se terminó el día en que mi pareja me planteó que "debíamos vivir juntos", a lo que yo contesté que "no necesitábamos una vida en común, que lo que necesitábamos era un coche para ir a darnos *el filete* a la Casa de Campo".

¿Que cómo soy?

No sabría decirlo. Solo sé contar las cosas que me han pasado en la vida con cierta dosis de humor para disfrutar de ella. Aunque en ocasiones mi rebeldía me haga ir en contra de todo lo que me rodea, soy una mujer más cercana al convencionalismo de lo que aparento.

Agradezco cualquier muestra de cariño y sigo pensando que si uno sabe besar tiene un gran porcentaje de sabiduría en su haber.

Las personas que más me han ayudado y de las que más he aprendido son: Lluïsa Cunillé, José Sánchis, Ignacio del Moral, Paloma Pedrero, Rafael Ponce, Ana Rossetti y Mauricio Kartun, por los que siento gran admiración.

Tengo 40 años, y esto no ha hecho más que empezar.

≈ ≈ ∼

Hormigas sin fronteras. Foto: Candyce Leonard

MARGARITA SÁNCHEZ ROLDÁN

HORMIGAS SIN FRONTERAS

PERSONAJES

VIOLETA
CHIRUCA
ANGELINA
D. LUCIANO
FAKIR
AGENTE
JALAÍNES
LEO

Escena I

VIOLETA, CHIRUCA, ANGELINA, D. LUCIANO

(Con el escenario todavía en oscuro, se escucha el sonido de la noche, o de las estrellas: "Clin, clin, clin". Tres puntos de luz se iluminan en el escenario y vemos a tres mujeres durmiendo.)

> "Una mañana de agosto,
> con un sol resplandeciente.
> Tres mujeres en sus camas,
> duermen muy tranquilamente".

(Sueñan en voz alta y podemos escuchar algunas frases de sus sueños.)

VIOLETA—Ummmm… que sol más rico. Me pondré un poquito más de crema. No vaya a ser que termine cocía como una gamba.

CHIRUCA—Charly 5 a base de control. Problemas para el alunizaje. Repito, problemas para el alunizaje. Esperamos instrucciones.

ANGELINA—¡Tres mil quinientas pesetas por un mejillón! ¡Dónde vamos a llegar!

(Continúa la canción)

> "Breves momentos después,
> cuando duermen boca abajo,
> un sonido les recuerda
> que tienen que ir al trabajo".

DESPERTADOR—¡Ringggggg…!
ANGELINA—*(Saltando de la cama apaga el despertador. Cantando.)*

> "¡Las ocho! Ya son las ocho!
> Me tomaré un buen café,
> y mojaré tres bizcochos".

CHIRUCA—*(Apagando el despertador desde la cama. Cantando.)*

> "¡Las ocho! ¡Vaya pereza!
> Me quedaré otro ratito,
> mientras se plancha esta oreja".

(Se incorpora, pero termina dándose la vuelta hacia el otro lado.)

VIOLETA—*(Sin levantarse de la cama, todavía soñando. Cantando.)*

> "¡Las… ocho…! Ya son las ocho!
> Pero estoy de vacaciones.
> Me daré un baño en el mar
> y comeré chipirones".

(ANGELINA y CHIRUCA comienzan a prepararse para ir a trabajar. Distintos elementos van transformando el pijama o camisón en un traje de calle. VIOLETA sigue durmiendo.)

ANGELINA—*(Dispuesta casi a salir, hace algunas pruebas de voz.)* ¡O sole mío…! Ejem… ejem…ejem… ¡O sole mío…!
ANGELINA—*(Cantando.)*

> "La historia que vais a ver
> no es una historia corriente.
> Ocurrió hace mucho tiempo
> aunque se parezca reciente".

CHIRUCA—*(También preparándose para salir, pero más lentamente. Cantando.)*

> "Todo comenzó un buen día
> trabajando felizmente".

Pero… ¿dónde está Violeta?
LAS DOS—*(Se dirigen hacia el espacio de VIOLETA y la llaman cada una por un lado.)* ¡Violetaaaa!
VIOLETA—*(Despertándose.)* Soñando, plácidamente.

(Se levanta y se viste lo más rápido posible. Adormilada, no encuentra nada de lo que busca. CHIRUCA y ANGELINA continúan camino al trabajo. Todas cantando.)

CHIRUCA—"Como os íbamos diciendo
> y volviendo a hacer memoria
> somos las protagonistas
> de esta singular historia".
VIOLETA—"¿Dónde he puesto mis zapatos?
> ¿Dónde está mi delantal?
> ¡Llegaré tarde al trabajo!
> La sirena va a sonar".

(Efectivamente en ese preciso instante D. LUCIANO, que es la perfecta representación de un ogro, emite un sonido que anuncia la entrada al trabajo. ANGELINA y VIOLETA están muy cerca de D. LUCIANO. A VIOLETA la vemos llegar corriendo.)

ANGELINA—Buenos días D. Luciano.
D. LUCIANO—*(Acosándola.)* Vamos, vamos… Angelina. Rápido a su puesto… Bonita mañana, ¿verdad? *(Intenta dar una palmada en el trasero que ANGELINA esquiva con gran destreza.)*
ANGELINA—D. Luciano. No empecemos. Cuidado con esa mano.
D. LUCIANO—*(Riendo como un ogro.)* ¡Jua, jua, jua, jua, jua…!

CHIRUCA—*(En otro aparte al público.)* Tener los ojos bien abiertos. *(A D. LUCIANO.)* ¡Buenas…!

D. LUCIANO—Buenos días Chiruca.

(VIOLETA llega frente a D. LUCIANO corriendo.)

VIOLETA—¡Ya estoy aquí!

D. LUCIANO—¡Violeta! Es que siempre tiene que ser Ud. la última. ¿Qué se propone, acabar con mis nervios?

VIOLETA—*(En otro aparte al público.)* Todos los días la misma cantinela, y yo siempre le respondía lo mismo. *(VIOLETA va a empezar una frase pero la interrumpe D. LUCIANO.)*

D. LUCIANO—¡Silencio! Ocupe su puesto.

(Cuando VIOLETA entra se sitúa al lado de sus compañeras. Las botellas dispuestas para su limpieza, aparecen en escena. D. LUCIANO activa la palanca para que la cadena se ponga en marcha.)

D. LUCIANO—Preparadas, listas, ¡ya…! *(Ríe nuevamente como los ogros.)* ¡Jua, jua, jua, jua, jua, jua…!

(La cadena de montaje se pone en funcionamiento. CHIRUCA, VIOLETA y ANGELINA comienzan su trabajo.)

D. LUCIANO—"La puntualidad es la clave y el éxito del trabajo en armonía". Lo decía mi abuelo que después de mi padre era el hombre más listo del mundo. *(Desaparece de escena.)*

CHIRUCA—Igualito que su abuelo y que su padre, o sea un antiguo.

VIOLETA—Sí, un antiguo, pero con un coche bien moderno.

ANGELINA—El de siempre.

VIOLETA—De eso nada, monada.

CHIRUCA—¡Quééé! Cuenta, cuenta…

VIOLETA—Ayer le vi paseando con un descapotable rojo grandísimo. Tan grande que casi no le llegan los pies a los pedales.

ANGELINA—Si fuéramos dueñas de algo como D. Luciano de la fábrica, podríamos permitirnos esos lujos.

VIOLETA—Pues yo soy dueña de unas tierras y no tengo coche.

CHIRUCA—¿¡Ah, sí…!?

VIOLETA—Una herencia de mi abuela en Berenjenal de las Altas Torres, junto a un nogal, tres pinos y un platanero de Virginia. Un día ahorraré, diré adiós a la fábrica, y me iré a vivir allí.

ANGELINA—Sí, a este paso nos haremos viejecitas y todavía estaremos trabajando para D. Luciano sin haber ahorrado ni una gorda.

CHIRUCA—Además, para ahorrar hace falta ser tan tacaño como D. Luciano. El otro día le vi apoyado en una columna frotando una moneda contra otra, así que le pregunté, "¿qué hace D. Luciano?" ¿Sabéis qué me contestó? "Pues, ya ves aquí… gastando dinero…" *(Las tres ríen el chiste y en ese momento aparece D. LUCIANO.)*

D. LUCIANO—¿Puede saberse qué les hace tanta gracia?

ANGELINA—No era nada, D. Luciano, estábamos charlando.

D. LUCIANO—*(En tono marcial.)* Señoritas: Tres, tres palabras rezan en el escudo de fundación de esta fábrica desde los remotos tiempos de mi abuelo: "Seriedad, disciplina, y entrega". Estas tres palabras han servido para consolidar el funcionamiento de la empresa a través de dos generaciones.

VIOLETA—Pero D. Luciano si…

D. LUCIANO—*(Interrumpiendo a VIOLETA, hace cuentas en su calculadora.)* Un minuto de charla equivale a tres botellas menos cada hora, que multiplicadas por ocho horas de trabajo diarias, sumarían veinticuatro. Veinticuatro botellas multiplicadas por trescientos sesenta y cinco días que tiene el año nos dan un total de 8.760 botellas de menos en la producción anual. ¿Se dan cuenta de lo que eso significa traducido a pesetas?

CHIRUCA—Pues yo, la verdad, me he perdido.

D. LUCIANO—Pues significa que ha llegado el momento de incidir en los aspectos más representativos de los nuevos sistemas de producción que regulan el mercado laboral y empezaremos por el control del rendimiento y el de gastos.

VIOLETA—Y eso, ¿qué quiere decir?

D. LUCIANO—Que deberemos apretarnos el cinturón.

CHIRUCA—¡Claro! ¡Cómo Ud. tiene tirantes!

D. LUCIANO—Hay que satisfacer las necesidades del cliente. Ése es el lema de nuestra empresa.

ANGELINA—*(Al público.)* Lo que quería decir en realidad D. Luciano es que a partir de entonces trabajaríamos más y cobraríamos lo mismo, pero con otras palabras. Ese mismo día la cadena empezó a ir un poco más deprisa.

CHIRUCA—Con tanto trabajo llego tan cansada a casa que no tengo ganas ni de escribir a mi novio.

ANGELINA—No sabía que tenías novio.

VIOLETA—Yo tampoco.

CHIRUCA—Ni yo. Es que es un novio muy raro. Nos hemos hecho novios por correo. Sólo nos escribimos cartas, pero es más interesante… Estudia en la facultad de Albañilería y Letras y me manda unos planos más bonitos…

VIOLETA—¿Cuándo va a venir a conocerte?

CHIRUCA—No lo sé. Todavía es pronto. Además, yo no le cuento exactamente la verdad. Le he dicho que soy enfermera y cuido de niños enfermos.

ANGELINA—¿Por qué?

CHIRUCA—Para hacerme la interesante.

ANGELINA—Pues eso es justamente lo que yo haré algún día y no me las doy de interesante.

VIOLETA—Pues para cuando venga tu novio seguro que mi cosecha de tomates estará muy crecida y os invitaré a casa para que los veáis.

CHIRUCA—Los tomates no son para ver, son para comer.

VIOLETA—Pero yo los tengo plantados en unos tiestos, los riego y los veo germinar, no me los como. ¡Están más bonitos! También pienso plantar altramuces, calabacines y judías verdes. Me encanta la naturaleza. *(A ANGELINA.)* ¿De qué te ríes?

ANGELINA—Como si la naturaleza fuera tres tiestos en un balcón.

VIOLETA—Oye, cada uno hace lo que puede.

CHIRUCA—Y si se planta un percebe… ¿brotarán más percebes?

VIOLETA—¡Qué burra eres! Como oiga eso tu novio.

CHIRUCA—*(Sigue hablando sin advertir la presencia de D. LUCIANO que acaba de aparecer.)* Era una broma, no soy tan tonta. Aquí el único percebe que ha brotado de un árbol es Don…

D. LUCIANO—Pongo en su conocimiento que a partir de ahora y debido al volumen de trabajo, tendremos que incrementar el ritmo de la cadena.

ANGELINA—¡Más!

D. LUCIANO—Por lo tanto, las *animadas* charlas matinales, tendrán que reservarlas para la hora del almuerzo.

CHIRUCA—Pero D. Luciano si ya vamos más deprisa que de costumbre.

D. LUCIANO—Pues me temo que tendrán que hacer un esfuercito. Corren tiempos de crisis y si no queremos reducir la plantilla debemos producir más y mejor.

CHIRUCA—¡Ni que todavía estuviésemos en la Edad Media!

ANGELINA—*(Al público.)* Naturalmente no estábamos en la Edad Media, pero D. Luciano estaba dispuesto a retroceder en el tiempo todo lo que hiciera falta para conseguir sus propósitos, y el día siguiente la cadena empezó a funcionar a un ritmo frenético.

CHIRUCA—Oye, esto va muy rápido, ¿no os parece?

VIOLETA—Sí.

ANGELINA—Sí.

CHIRUCA—Desde luego, a este ritmo D. Luciano va a poder comprarse un par de coches más.

(Cruzan miradas, pero el ritmo les impide hablar.)

ANGELINA—Esto no tiene ninguna gracia.

VIOLETA—No doy a basto.

CHIRUCA—¡Madre mía!

ANGELINA—No puedo, no puedo, no puedo…

(Entra D. LUCIANO.)

D. LUCIANO—Así, así. Da gusto verlas trabajar, como decía mi padre: "La entrega y la buena disposición en el trabajo dignifica al hombre".

CHIRUCA—Pues debe ser a los "hombres" porque a las mujeres nos viene fatal.

D. LUCIANO—Si pudieran verse desde fuera…

VIOLETA—Pues… si quiere ponerse un ratito…

D. LUCIANO—¡Qué armonía! ¡Qué música! *(Vuelve a calcular.)* Ocho mil seiscientas setenta botellas, que multiplicadas por diez dan un total de ochenta y siete mil seiscientas pesetas… *(Sale de escena.)*

VIOLETA—¡Claro, como ayer pilló hablando a Chiruca…!

ANGELINA—Yo no la culpo.

CHIRUCA—¿Que os gusta el pulpo?

ANGELINA—¿Qué pulpo?

VIOLETA—Hablad más alto.

CHIRUCA—No podemos hablar más alto.

ANGELINA—No podemos hablar, ni alto ni bajo. Como venga D. Luciano otra vez, y nos pille, volverá a poner la máquina más deprisa.

CHIRUCA—¿Qué te ha llamado Marisa?

VIOLETA—A mí también me da la risa.

ANGELINA—¡Nooo…!

CHIRUCA—Pero, ¿qué decís?

VIOLETA—Esto es un agobio.

CHIRUCA—¿También te ha salido un novio?

ANGELINA—¿Qué novio?

(A VIOLETA y ANGELINA se les acumula el trabajo. Para colmo de males D. LUCIANO aparece. Ellas al verle intentan arreglarlo pero lo estropean y no pueden contener la risa.)

D. LUCIANO—Vaya, vaya… Por lo que veo les divierte mucho el trabajo, y todavía les sobra tiempo para reírse.

ANGELINA—Verá D. Luciano…

D. LUCIANO—*(La interrumpe.)* ¡Concéntrense en el trabajo! ¡Es una orden, señoritas! Esto no es una discoteca.

VIOLETA—¡Una discoteca! ¡Vaya una comparación! *(A VIOLETA se le cae una botella al suelo.)*

D. LUCIANO—Recoja esa botella del suelo. Es Ud. muy descuidada Violeta.

CHIRUCA—D. Luciano, no puedo seguir trabajando tan deprisa. *(Empieza a tener síntomas extraños.)*

D. LUCIANO—¡Tonterías! *(Sigue calculando.)* …Si descontamos seguros sociales y gastos de personal nos da un total de…

ANGELINA—*(A CHIRUCA.)* ¿Qué te pasa?

CHIRUCA—Creo que me estoy mareando.

ANGELINA—Debe ser una bajada de tensión. Intenta agachar la cabeza. *(Se dirige hacia* CHIRUCA *y le da indicaciones.)* Así, respira hondo, vamos.

(A VIOLETA *se la acumula el trabajo. D.* LUCIANO *permanece ajeno a la escena.)*

D. LUCIANO—Concentración… concentración…

VIOLETA—D. Luciano creo que debería parar un momento la cadena, Chiruca se encuentra mal.

D. LUCIANO—*(Sigue calculando.)* Seis millones setecientas ochenta y tres mil cuatrocientas noventa y cinco pesetas…

ANGELINA—*(Sigue atendiendo a* CHIRUCA.*)* Así… así, respira hondo. Te daré un masaje cardiovascular que viene muy bien en estos casos.

CHIRUCA—¿Dónde has aprendido eso?

ANGELINA—Me gusta la medicina. He estudiado.

CHIRUCA—¡Ahhh!

D. LUCIANO—Vamos, no pierdan el ritmo. Un, dos, tres, cuatro…

VIOLETA—D. Luciano, pare la cadena, por favor.

D. LUCIANO—Vamos, vamos… Al principio les costará un poco de trabajo, se llama "período de adaptación"… Mi abuelo que fue un gran empresario, le enseñó un día a mi padre que, a su vez, me enseñó a mí… *(*VIOLETA *ha parado la cadena y el ruido cesa de pronto. D.* LUCIANO *se vuelve y encuentra todas las botellas caídas por el suelo, sin reparar en* CHIRUCA.*)* ¡Eh…! ¿Qué significa esto?

VIOLETA—Pregúntele a su abuelo que era bien listo.

D. LUCIANO—Vuelvan inmediatamente a sus puestos. ¡Vaya desastre!

CHIRUCA—Pero ¿no entiende que no podemos trabajar a este ritmo?

D. LUCIANO—Tonterías… Están Uds. holgazaneando.

CHIRUCA—¡Holgazaneando!

VIOLETA—¡Holgazaneando!

D. LUCIANO—Sí. Holgazaneando.

(Las tres se miran. CHIRUCA *ya recuperada se levanta del suelo ayudada por sus compañeras.)*

ANGELINA—Verá D. Luciano. Nosotras también hemos tenido abuelas, y una madre que también nos enseñó muchas cosas.

D. LUCIANO—Pero, ¿qué está diciendo?

CHIRUCA—*(También se anima, tímidamente.)* Tiene razón Angelina. Mi madre me enseñó a protestar cuando se cometen injusticias.

D. LUCIANO—Vuelvan inmediatamente a sus puestos o lamentarán este incidente.

CHIRUCA—Nos llama holgazanas cuando pretende que trabajemos el doble.

VIOLETA—Mi abuela me decía que eso tiene un nombre: explotación.

(Poco a poco las mujeres pierden el miedo a hablar. El tono de voz también va subiendo. Incluso alguna utilizará un altillo de vez en cuando hasta que terminen sus discursos como en un mitin.)

D. LUCIANO—¿Están Uds. locas o qué? ¡Vuelvan inmediatamente a sus puestos!

CHIRUCA—Y Ud. es un explotador, un tirano y un insensible.

D. LUCIANO—Sean buenas chicas o me veré obligado a tomar medidas drásticas.

VIOLETA—Ya hemos sido "buenas chicas" durante mucho tiempo, ¿y para qué nos ha servido? Para que nos trate peor cada día.

D. LUCIANO—Si continúan así tendré que despedirlas.

ANGELINA—¿Habéis oído eso?

D. LUCIANO—Irán a la calle y me encargaré personalmente de que no encuentren ningún empleo. Se morirán de hambre. ¡Vuelvan al trabajo! *(Acciona de nuevo la máquina.)*

VIOLETA—¡Pare eso! Estamos en una asamblea.

D. LUCIANO—¡Qué asamblea ni qué ocho cuartos! Cada una a su sitio o me enfadaré de verdad, y entonces…

ANGELINA—No tenemos ningún miedo D. Luciano.

D. LUCIANO—Está bien, hasta ahora he sido blando, pero veo que por las buenas nunca se soluciona nada. No conocen a D. Luciano Clavicuerdo.

(D. LUCIANO con cara de ogro avanza con un látigo hacia ellas. De pronto la escena se congela y VIOLETA sale del cuadro. Se dirige al público en un aparte.)

VIOLETA—Naturalmente nosotras sí conocíamos a D. Luciano, pero D. Luciano no nos conocía a nosotras. No podía imaginarse hasta dónde estábamos dispuestas a llegar.

(VIOLETA vuelve al cuadro. La acción se descongela con la música de "Indiana Jones". ANGELINA, haciendo un alarde de rapidez, coge del extremo del látigo y tira enrollando en él a D. LUCIANO. Una vez cerca de las tres mujeres, éstas lo atan y lo amordazan.)

ANGELINA—Hasta aquí hemos llegado. Empieza Chiruca. *(Le entrega una botella.)*

D. LUCIANO—¿Qué pretenden?

CHIRUCA—*(La coge y merodea a su alrededor. Cuando termina la frase le arrea con ella en la cabeza, aunque flojito.)* Ahora lo verá. Es Ud. un explotador, un tirano y un insensible.

VIOLETA—Eso ya se lo habías dicho antes.

CHIRUCA—¿Sí? Ah, pues… no sé. *(Se concentra.)* ¡Ya está! Ud… Ud… huele muy mal. Sí, muy mal. Apesta. *(Le da.)*

ANGELINA—Y tiene halitosis. *(Le da.)*

VIOLETA—¿Qué es eso?

ANGELINA—Bueno, que le huele el aliento.

CHIRUCA—Ah... sí. También. *(Le da.)*

ANGELINA—Y no soporto que intente tocarme el trasero todas las mañanas. ¡Guarro! *(Le da.)*

D. LUCIANO—Pero, pero... Oigan ¿qué significa esto?

VIOLETA—Y su abuelo y su padre eran las personas más inteligentes del mundo, pero del mundo de las albóndigas. *(Le da.)*

CHIRUCA—Un momento, un momento. No me parece bien meter a su familia en este asunto, no tienen la culpa de nada.

VIOLETA—Pero él sí, por ser un cabeza de albóndiga.

CHIRUCA—Eso sí es verdad. Toma, ¡cabeza de albóndiga!

ANGELINA—¡Toma y toma!

D. LUCIANO—¡Ay! ¡Ay! Me están haciendo daño.

CHIRUCA—¡Albóndiga! ¡Albóndiga! *(Se emociona y D. LUCIANO se desmaya.)* ¡Anda! ¿Qué ha pasado? *(Mira la botella.)* Pero, pero... si... si esta botella es de plástico.

ANGELINA—*(Le toma el pulso.)* Está fingiendo. *(D. LUCIANO abre el ojo.)* Se hace el inconsciente.

VIOLETA—*(Le deshace el nudo de la corbata.)* Habrá que reanimarle. *(Comienzan a darle cachetes.)* D. Luciano, eh, ¡D. Luciano!

D. LUCIANO—No por favor, se lo suplico. Prometo bajar el ritmo de la cadena y olvidar este incidente.

CHIRUCA—¡Mira con qué sale ahora el Angelito!

D. LUCIANO—Y las subiré el sueldo. *(Saca un fajo de billetes y se los enseña.)*

VIOLETA—Demasiado tarde, D. Luciano. Ahora tendrá que arreglárselas solo. *(Le quita el dinero.)*

D. LUCIANO—Si lo que quieren es dinero, podemos llegar a un acuerdo.

VIOLETA—Consideraremos este fajo de verdes como un anticipo de nuestra liquidación.

D. LUCIANO—Tendrán tres meses de vacaciones al año. Por favor no se vayan, las necesito. ¿Qué pasará con los pedidos? Perderé mis clientes. ¿Qué será de mí, de la fábrica? ¡Esto es la ruina!

CHIRUCA—La avaricia rompe el saco, ya conoce el refrán.

ANGELINA—Ayudarme chicas. A la una... a las dos... y a las... tres. *(Entre las tres lo cogen y lo hacen desaparecer de escena. ANGELINA se acerca al público sacudiéndose las manos.)* Y así fue como aquella calurosa mañana de agosto, decidimos dejar la fábrica y darle un buen escarmiento a D. Luciano. Desde aquel día, algo cambió dentro de nosotras.

ESCENA II

VIOLETA, ANGELINA, CHIRUCA, FAKIR, AGENTE, JALAÍNES

VIOLETA—*(Cuenta el dinero.)* Tenemos sesenta mil pesetas.

ANGELINA—¿Sabéis la cantidad de cosas que podemos hacer con ese dinero?

LAS DOS—¿Síííí?

ANGELINA—Seremos el terror de la ciudad.

LAS DOS—¡Síííííííí!

ANGELINA—Seremos como "los tres mosqueteros", como "los tres jinetes del Apocalipsis".

CHIRUCA—Como "tres hombres y un destino", pero en chicas.

LAS DOS—¡Sí!

VIOLETA—Y, ¿por qué no nos ponemos nosotras un nombre?

CHIRUCA—Sí, algo que nos identifique.

ANGELINA—¿Qué os parece una "h"?

VIOLETA—¿Una "h"?

CHIRUCA—Sí hija. *(A ANGELINA.)* Como el "zorro", ¿no?

ANGELINA—Eso es, una "h" como "el zorro".

CHIRUCA—Ya verás cuando le cuente todo esto a mi novio.

ANGELINA—Hablando de zorros, ¿por qué no hacemos una visita al zoo?

CHIRUCA—Sí, o al cine. También podemos ir al cine, a ver una peli de ésas de amor.

VIOLETA—A mí me gustaría bailar en una discoteca.

ANGELINA—Tenemos tiempo para hacer todo lo que queramos. *(Al público.)* Alguien escribió una vez que la diferencia entre la felicidad y la alegría es que la felicidad es sólida y la alegría es líquida.

CHIRUCA—*(Al público.)* Pero nadie describió jamás un estado de ánimo tan gaseoso y burbujeante como el nuestro. *(Cantan.)*

> "En esas horas del día, el mundo era diferente,
> un lugar desconocido, lleno de color y gente.
> Decidimos entre todas, el lugar a donde ir.
> Por el camino encontramos, un payaso de fakir.
> Estaba quieto, muy quieto, miraba a las musarañas
> le pusimos veinte duros y nos mostraba su hazaña".

(La melodía toma tintes exóticos, mientras el FAKIR ejecuta el número del alfanje.)

CHIRUCA—¿No se hace daño señor?

FAKIR—*(Con acento extranjero.)* Es un truco para ganarme la vida. Gracias por la moneda. *(Sale.)*

VIOLETA—Adiós señor y buena suerte.

ANGELINA—¡Mirar chicas!
LAS DOS—¡El zoo! *(Cantan.)*

"Vimos osos, cocodrilos, tiburones y marsopas
un delfín que dio tres saltos, nos mojó toda la ropa.
Después de salir del zoo, fuimos a una discoteca,
así se cumplió el deseo de nuestra amiga Violeta".

(La melodía da paso a un ritmo de tango, seguido de un cha-cha-chá.
VIOLETA enloquece en la pista.)

ANGELINA—*(Al público.)* Lo estábamos pasando lo que se dice
realmente bien. Nos sentíamos libres.
VIOLETA—*(Al público.)* Capaces de enfrentarnos a cualquier cosa.
CHIRUCA—Altas.
LAS DOS—*(A CHIRUCA.)* ¿Altas?
CHIRUCA—*(Al público.)* Sí, como la señora del chiste, ésa que era tan
alta, tan alta que tenía una nube en un ojo. *(Ríen el chiste.)*
ANGELINA—*(Al público.)* Y empezamos a imaginar todo tipo de
trastadas.
ANGELINA—Cambiaré uno por uno todos los relojes de la ciudad para
que la gente llegue tarde al trabajo.
LAS DOS—¡Bien!
VIOLETA—Yo embadurnaré con cola de contacto todos los bancos
del parque para que nadie pueda levantarse.
LAS DOS—¡Bien!
CHIRUCA—Yo, yo… me compraré unos zapatos rojos que he visto
en un escaparate.

(VIOLETA y ANGELINA están a punto de decir bien pero recapacitan en
la trastada de CHIRUCA.)

VIOLETA—Ese chiste, sí que es bueno.
CHIRUCA—No es ningún chiste, lo digo en serio.
ANGELINA—Pues no tiene ninguna gracia.
CHIRUCA—¿Por qué?
VIOLETA—Porque eso no es divertido. Debes llevártelos sin pagar.
CHIRUCA—Pero, eso… eso es…
ANGELINA—Eso es hacer lo que uno quiere de forma "poco habitual".
CHIRUCA—¿Y qué le diré al dependiente cuando se acerque y
pregunte: "¿qué desea?"
VIOLETA—Ahí está el "quid" de la cuestión, no tienes que decirle
nada, los coges y te vas. Pero claro, quizá tú seas…
CHIRUCA—¿Qué?
VIOLETA—Demasiado miedosa.
CHIRUCA—No soy miedosa.

ANGELINA—Demuéstralo.

CHIRUCA—Sí, pero…

VIOLETA—No, si tienes miedo es mejor que lo dejes, no saldría bien.

CHIRUCA—No tengo miedo. Vais a saber quién soy. Dentro de media hora apareceré con los zapatos puestos.

ANGELINA—De acuerdo. Cada una irá por su lado y volveremos a reunirnos en el parque. Es importante que todo el mundo conozca quienes somos, así que, antes de salir corriendo, dejaremos una señal. Escribiremos nuestra letra "H", ¿entendido?

LAS DOS—Entendido.

(Salen ANGELINA y VIOLETA, y CHIRUCA se queda sola.)

CHIRUCA—*(Al público.)* En menudo lío estaba metida por querer hacerme la valiente. De buenas a primeras me vi frente al escaparate de la zapatería. Allí estaban mis zapatitos rojos, llamándome, casi podía escuchar cómo me susurraban "queremos entrar en tus piececitos".

(CHIRUCA sale. ANGELINA y VIOLETA aparecen.)

ANGELINA—*(Le cuenta a VIOLETA.)* Antes de encaramarme en el mismísimo reloj de la Puerta del Sol, he hecho sonar las campanas de la Iglesia de al lado, anunciando las cuatro cuando ya eran las cinco: "ton-ton-ton…" Todavía tengo el sonido retumbando dentro de mi cabeza. ¿Y a ti, cómo te ha ido?

VIOLETA—Bien. He cogido todos los bancos de la Avenida Principal y los he llenado de cola. Ahora están llenos de gente que no puede levantarse.

(CHIRUCA aparece en escena con los zapatos puestos.)

LAS DOS—¡Lo hiciste!

CHIRUCA—Pues claro. Ha sido bien fácil.

ANGELINA—Cuenta, cuenta.

CHIRUCA—¿Qué queréis que os cuente?

VIOLETA—Cómo lo hiciste.

CHIRUCA—Y ¿por dónde empiezo?

ANGELINA—Por el principio. Estás delante del escaparate y entonces…

CHIRUCA—Entonces… cogí una piedra, pero era muy pequeña para aquel escaparate tan grande y…

VIOLETA—Decides coger una mayor.

CHIRUCA—Eso es, pero como…

ANGELINA—Pero, como no hay piedras por el camino agarras un…

CHIRUCA—Un… un… tractor…

VIOLETA—¿Un tractor?

CHIRUCA—Sí, un tractor que en ese momento pasaba por allí, ¿qué pasa?

LAS DOS—Nada, nada, sigue.

CHIRUCA—Me subí a la cabina y forcejeé con el conductor hasta hacerme con el volante. Era un hombre muy corpulento, grandísimo, ¡con unas manos…así! ¡Con unos pies…así! Hasta que por fin lo reduje y cayó al suelo fulminado. Entonces cogí el tractor y lo estrellé contra el escaparate. Tendríais que haber visto las caras de la gente cuando vieron saltar aquel cristal en mil pedazos. Era un espectáculo dantesco.

ANGELINA—¿Dan qué?

CHIRUCA—Dantesco.

VIOLETA—¿Y eso qué es?

CHIRUCA—No sé, pero se dice siempre al final de una tragedia.

ANGELINA—Ya… ¿y cómo dices que era el conductor?

CHIRUCA—Así.

ANGELINA—Ya, ¿y tú sola pudiste con él?

CHIRUCA—Bueno, me ayudaron.

VIOLETA—¿Quién?

CHIRUCA—Un policía.

VIOLETA—¡Un policía!

CHIRUCA—Sí, un policía, ¿qué pasa? Los policías están para ayudar a los ciudadanos, ¿no?

ANGELINA—Sí, pero no a los ciudadanos que pretenden robar unos zapatos y cargarse un escaparate.

CHIRUCA—*(Nerviosa.)* Bueno yo…

ANGELINA—¿Quieres decirme qué hacía un tractor en pleno centro de la ciudad a las cuatro y media de la tarde? ¡Chiruca, por Dios!

VIOLETA—Estás mintiendo, ¿verdad?

CHIRUCA—Dejarme en paz.

ANGELINA—No has robado esos zapatos.

CHIRUCA—Os digo que sí. Si no, ¿de dónde los he sacado, eh, listas?

VIOLETA—Enséñame el dinero.

CHIRUCA—¿Para qué?

VIOLETA—¿No habrás sido capaz de gastarte nuestro dinero?

CHIRUCA—Te recuerdo que ese dinero también es mío. *(Se pone a llorar.)*

VIOLETA—Lo que me temía. Se ha comprado los zapatos.

ANGELINA—Deja de llorar.

CHIRUCA—Soy incapaz de robar. Lo siento. Será mejor que no sigamos juntas.

VIOLETA—No seas melodramática que no te pega. Ya no sirve de nada lamentarse. *(Le da un pañuelo.)* Toma, límpiate.

CHIRUCA—Me gustaría ser mala, pero no me sale. Vosotras, sí que sabéis hacer de malas.

VIOLETA—Si no hemos hecho nada malo, ¿verdad, Angelina?

ANGELINA—Pues… no estoy segura.

CHIRUCA—Os buscará la policía y darán con vosotras. Seguramente vayáis a la cárcel. ¡Qué suerte!

ANGELINA—Quieres dejar de decir tonterías.

VIOLETA—Chiruca tiene razón. *(A ANGELINA.)* Somos unos delincuentes.

ANGELINA—*(Titubea.)* No… yo no creo que seamos… No pueden perseguirnos por lo que hemos hecho, no es tan grave.

CHIRUCA—*(Grita.)* ¡Ahhhh! Mirar, ya vienen, ya vienen. *(Llora desconsoladamente.)* Y tiene la mismísima cara de D. Luciano. ¡Buaaa!

(En ese momento un guarda hace la ronda por el parque. Las mujeres disimulan pero él no puede evitar la pregunta.)

AGENTE—¿Algún problema, señoritas?

VIOLETA—*(Disimula.)* No… no señor agente, es que… Se le ha metido una chinita en el ojo.

AGENTE—*(Se acerca.)* Si me permiten.

ANGELINA—*(Se lo impide.)* No se moleste, de verdad, soy experta en primeros auxilios.

VIOLETA—*(Disimulando.)* Qué bonito y qué cuidado está este parque. Es precioso de verdad, precioso.

AGENTE—Bueno, en ese caso. *(El policía hace la ronda cerca de ellas; no se fía y vigila de vez en cuando porque las ve muy nerviosas.)*

CHIRUCA—*(Haciendo un aparte.)* Será mejor que nos entreguemos.

ANGELINA—Tú no has hecho nada.

VIOLETA—Pero si nos entregamos las tres repartirán condena y tocaremos a menos. Está muy bien pensado, Chiruca, eres un sol.

ANGELINA—Yo creo que la cosa no es tan grave. Igual sólo nos pone una multa.

VIOLETA—¡Sí! ¡Seguro! Pues venga, que nos ponga la multa cuanto antes.

CHIRUCA—¿Entonces nos entregamos? *(Las dos asienten.)* Hablas tú, Violeta.

VIOLETA—¡Cómo yo! Que hable Angelina que tiene más soltura.

ANGELINA—¡¿Yooooooo?!

AGENTE—*(Acercándose.)* ¿Seguro que no les pasa nada?

ANGELINA—*(Se arma de valor.)* Queremos entregarnos.

AGENTE—*(No entiende y mira hacia otro lado como si la cosa no fuera con él mientras se alisa los bigotes.)* Creo que no he entendido bien. ¿Entregarse?

VIOLETA—No lo volveremos a hacer, señor agente. Pónganos Ud. una multa y a partir de ahora nos portaremos bien.

AGENTE—¡Ajajá! *(Recriminándolas.)* Entonces, han sido Uds. las que han maltratado al pato esta noche, ¿verdad?

ANGELINA—No. Nosotras no.

AGENTE—¿Han pisado el césped?

CHIRUCA—No.

AGENTE—¿Han roto las farolas con el tirachinas? ¿Han arrojado bolsas de basura al estanque de los peces?

ANGELINA—Pues no.

VIOLETA—Pero porque no se nos había ocurrido.

AGENTE—Entonces ¿por qué habría de ponerles una multa?

CHIRUCA—Bueno, yo… yo me he comprado unos zapatos.

AGENTE—No veo qué hay de malo en eso.

VIOLETA—Hombre, señor agente, pues entonces a Ud. qué más le da, sea amable y pónganos una multa por lo que pudiéramos haber hecho.

AGENTE—Les repito que no es de mi competencia, yo soy "parques y jardines".

CHIRUCA—Venga, sea bueno.

ANGELINA—Le estaríamos tan agradecidas…

VIOLETA—Una multa, sólo una multa.

AGENTE—Está bien, si eso las hace felices. *(Escribe.)* Por pisar el césped, maltratar a un pato y arrojar basura al estanque de los peces…

ANGELINA—Bueno, señor agente, que tampoco es para tanto. Conque la ponga sólo por lo del césped…

CHIRUCA—Sí, lo de los patos me parece excesivo.

AGENTE—Aquí está 20.000 pts.

ANGELINA—¡Ala!

VIOLETA—Un pelín cara.

CHIRUCA—*(Paga encantada.)* Tenga. Oiga una pregunta, ¿Ud. tiene un hermano que se llama Luciano?

AGENTE—Pues no, tengo tres hermanas: Marisa, Teresa y Juana. *(Sale contando el dinero.)*

ANGELINA—Qué bien se queda una después de una buena multa, ¿verdad? A partir de ahora todo será distinto, haremos vida de persona normal.

CHIRUCA—¿Y cómo viven las personas normales?

VIOLETA—No lo sé. ¿Tú tienes alguna idea, Angelina?

ANGELINA—Pues…

(Caminan y van saliendo del parque.)

ANGELINA—*(Al público.)* Claro, que no estábamos muy seguras de qué significaba eso de una "vida normal", de lo que sí estábamos seguras era de haber saldado nuestra cuenta con la Justicia y eso nos hacía sentirnos libres de nuevo.

VIOLETA—Está oscureciendo.

CHIRUCA—Estos zapatos me están haciendo una rozadura, y tengo hambre.

VIOLETA—Yo tengo mucho sueño. Podríamos ir a un hotel.

ANGELINA—*(A CHIRUCA.)* ¿Cuánto dinero nos queda?

CHIRUCA—*(Rebusca en los bolsillos.)* Pues… muy poco sólo.

VIOLETA—¿Muy poco, sólo?

CHIRUCA—Sólo.

VIOLETA—¿Qué has hecho con el resto del dinero?

CHIRUCA—¡Qué gracia! Y qué te crees, eh, que divertirse es gratis, ¿eh?

VIOLETA—Si no te lo hubieras gastado en los zapatos…

CHIRUCA—No voy a consentir que me echéis en cara los zapatos. Quiero irme a casa. Se acabó.

ANGELINA—Nadie va a echarte en cara los zapatos.

VIOLETA—Además, la que se va a casa soy yo, para que te enteres.

ANGELINA—Y se puede saber a que casa pensáis ir. ¿A la misma que nos alquila D. Luciano? ¿Con qué dinero pensáis pagarle?

(Pausa.)

VIOLETA—¡Pues vaya un asunto esto de ser libres! No tenemos dinero… no tenemos casa… pero eso sí. ¡Somos libres! ¿Que alguien me explique qué se puede hacer con eso.

ANGELINA—Supongo que a partir de ahora tendremos que aprender a vivir de otra forma. Desde luego la libertad no es sencilla, claro que no.

CHIRUCA—¡Tengo miedo!

VIOLETA—Yo también.

ANGELINA—¡Silencio! ¿Qué es eso?

LAS DOS—¿El qué?

ANGELINA—¿No oís un ruido?

LAS DOS—¿Qué ruido?

CHIRUCA—*(Se coge la tripa.)* Son mis tripas. Ya os dije que tengo hambre.

ANGELINA—No va a pasarnos nada. Estamos juntas.

(Un vagabundo aparece en escena. Se desplaza sobre una plataforma con ruedas. Mantiene una conversación con un amigo imaginario, mientras abre una lata de sardinas.)

ANGELINA—¡Silencio! Mirar lo que viene por ahí.

JALAÍNES—Qué sardinitas más buenas nos vamos a trapiñar tú y yo, Jalaínes. *(Tiende un papel de periódico sobre el suelo y se dispone a abrir la lata.)*

VIOLETA—Está loco. Habla solo.

CHIRUCA—Yo también lo hago a veces.

JALAÍNES—*(Come.)* ¡Mira como te has puesto, Jalaínes! Te he dicho muchas veces que tengas cuidado con el aceitito de las sardinitas, je, je, je, je…

CHIRUCA—Me muero de hambre. No puedo verle comer con ese apetito.

VIOLETA—Cállate, puede descubrirnos.

CHIRUCA—No pienso quedarme aquí parada viendo cómo ese hombre se prepara la cena. *(Se dirige hacia el vagabundo apuntándole con un billete.)* ¡Alto ahí! No se atreva a comer más sardinas!

JALAÍNES—*(Levanta las manos asustado.)* Pero... ¿qué significa esto?

CHIRUCA—Sólo quiero comprárselas. *(Le muestra el billete.)* Mire, son dos mil pesetas. Estoy dispuesta a pagárselas, por favor, señor, se lo ruego, me muero de hambre.

ANGELINA—*(Sale a sujetas a CHIRUCA.)* Disculpe a mi amiga, señor. Teníamos hambre y sólo a ella se le ocurre una cosa semejante. Ya nos vamos. *(Caminan unos pasos cuando...)*

JALAÍNES—¡No se muevan! Algo peligroso está a punto de ocurrirles.

ANGELINA—*(Al público.)* Y no os lo vais a creer, pero en ese momento, delante de nuestras narices y sin saber de dónde demonios habían salido, tres enormes coches pasaron a toda velocidad.

LOS CUATRO—*(Siguen con la mirada la trayectoria de los coches, mientras recrean el sonido.)* Ñ a m m m m m m ... ñ a m m m m m ... ñ a m m m m ...

JALAÍNES—Ya pueden continuar. *(Llama a su amigo que es personaje imaginario.)* ¡Jalaínes! Ven, no pasa nada. *(Lo busca por todos sitios.)* Por favor, ayúdenme a buscarlo.

LAS TRES—*(Lo llaman.)* ¡Jolianes! ¡Julinies! ¡Joniales...!

JALAÍNES—Ja-la-i-nes.

ANGELINA—¿Pero quién es Jalaínes?

JALAÍNES—Jalaínes soy yo y Jalaínes Junior es... *(Aparece a su lado.)* ¡Aquí está! *(A Junior.)* Quédate aquí y no te muevas, son unas señoritas muy simpáticas.

ANGELINA—*(A sus compañeras.)* Está como una cabra.

VIOLETA—Ud. no es un vagabundo, ¿verdad?

JALAÍNES—¡Un vagabundo! Eso sí que tiene gracia. ¿Oyes, Jalaínes? No, señoritas, yo soy un simple lector de zapatos.

CHIRUCA—Un zapatero.

JALAÍNES—¡Noo! lec-tor-de-za-pa-tos. Averiguo el destino de las personas con una simple ojeada a las rayas de sus zapatos.

CHIRUCA—¿Podría entonces decirnos si vamos a cenar esta noche?

JALAÍNES—Naturalmente que cenaréis, no tengo más que abrir unas latitas y compartiré gustoso mi cena a cambio de compañía. Acercaos. Nadie viene nunca a esta parte de la ciudad. Quizá no sea una casualidad que me hayáis encontrado. Quizá este encuentro estaba escrito en alguno de vuestros zapatos. Je, je, je...

ANGELINA—¿Y cómo puede Ud. vivir aquí tan alejado de todo?

VIOLETA—Porque tiene a Jalaínes Junior, ¿verdad? *(Mira hacia donde cree que está.)*

JALAÍNES—*(Mira hacia otro lado.)* ¡Ah, sí...! Junior es una excelente compañía. Mi único amigo. Bueno y ¿puede saberse qué andan haciendo Uds. por esta parte de la ciudad?

VIOLETA—*(Con la boca llena.)* Pues verá Ud., Jalaínes, resulta que... *(JALAÍNES, VIOLETA y CHIRUCA tienen una conversación sin sonido.)*

ANGELINA—*(Al público.)* El destino nos condujo hasta aquel curioso lector de zapatos. Le contamos nuestro altercado con D. Luciano y nos felicitó por haber sido tan valientes. De repente, en medio de la conversación, Jalaínes cambió de cara. Con ojos muy abiertos clavó la mirada en uno de los zapatos de Violeta.

VIOLETA—¿Qué pasa?

JALAÍNES—*(Levantándose del carrito.)* ¡Es sorprendente!

CHIRUCA—Pero ¿no era Ud. inválido?

JALAÍNES—No. ¡Qué disparate! Los lectores de zapatos nunca deben conocer su propio futuro, por eso debemos tener los pies ocultos. *(Le quita un zapato a VIOLETA y comienza a leerlo con cara de trance.)*

JALAÍNES—"H", "V" ¿H, V?

CHIRUCA—"H" era el nombre de nuestra antigua banda.

VIOLETA—Yo me llamo Violeta.

JALAÍNES—"Hormigas voladoras".

ANGELINA—¿Y eso qué quiere decir?

JALAÍNES—Mi querida señorita, la interpretación del destino desafía las leyes de toda lógica, sin embargo está muy claro el significado de estas iniciales.

CHIRUCA—Pues yo sigo sin entenderlo.

JALAÍNES—La principal característica de las hormigas es la laboriosidad y hasta ahora vuestra vida ha estado marcada por el trabajo, ¿no es así?

LAS TRES—Sí.

JALAÍNES—¿Con qué letra empieza la palabra hormiga?

LAS TRES—Con "h".

JALAÍNES—Bien, ¿y qué pasa cuando a las hormigas les crecen las alas?

LAS TRES—¿...?

JALAÍNES—Vuelan. Abandonan el hormiguero para emprender tareas más nobles y elevadas. En vuestro destino está escrito que llegaréis a ser muy conocidas. Volaréis por el mundo y seréis muy felices. ¿Verdad, Junior?

ANGELINA—¿Y eso... cuándo va a ser?

JALAÍNES—Permíteme el zapato. *(ANGELINA le da el zapato derecho.)* No, el izquierdo. En las rayas del derecho está el presente y en el izquierdo el futuro.

JALAÍNES—No, no... no...

ANGELINA—¿No qué?

JALAÍNES—Está confuso. No hay una fecha clara. Sin embargo... *(Se fija en el zapato de CHIRUCA.)* Permíteme. *(CHIRUCA le da el zapato.)* Fijaos en esta línea, se completa únicamente con los tres zapatos, lo cual quiere decir que el éxito de vuestra empresa, será el éxito de lo que juntas emprendáis. La fuerza está en el tres, el número cabalístico.

CHIRUCA—¿Por dónde debemos empezar?

JALAÍNES—Veo un bosque. El bosque simboliza "el principio de la vida". Aprenderéis a conocerlo y a conoceros a vosotras mismas.

VIOLETA—¡Ya lo tengo! ¡La casa de mi abuela!

CHIRUCA—¿Cómo?

VIOLETA—El bosque es la casa de mi abuela. Seguro que lo dice ahí. *(Mira el zapato.)*

JALAÍNES—Puede ser, puede ser... Ahora es necesario que cada una haga su propia interpretación del destino.

ANGELINA—Me parece una idea estupenda el que nos vayamos a la finca de tu abuela.

CHIRUCA—A mí también.

VIOLETA—Pues a qué esperamos. Pongámonos en camino.

CHIRUCA—*(A JALAÍNES.)* Escribiré a mi novio y le daré la nueva dirección.

VIOLETA—Y Ud. y Junior pueden venir a visitarnos las veces que quieran. No tiene perdida "Berenjenal de las Altas Torres" pasando la primera colina cerca de un nogal, un chopo y un platanero de Virginia. ¿Lo recordará?

JALAÍNES—Yo no, pero seguro que Junior sí se acuerda.

ANGELINA—Ha sido un placer conocerle.

JALAÍNES—El placer ha sido nuestro ¿verdad, Junior? Os deseamos toda la suerte del mundo.

LAS TRES—*(Se despiden.)* Adiós.

CHIRUCA—*(Le entrega una carta.)* Sería tan amable de echar esta carta al buzón. Es para mi novio.

JALAÍNES—Con mucho gusto.

ANGELINA—*(Al público.)* Y aquel mismo día, sin perder un minuto, nos pusimos en camino. Cogimos un tren.

CHIRUCA—*(Al público.)* Dos autobuses.

ANGELINA—*(Al público.)* Y ¡Por fin!

ESCENA III

VIOLETA, ANGELINA, CHIRUCA, LEO

VIOLETA—Aquí es "Berenjenal de las Altas Torres".

CHIRUCA—Pero... Dijiste que era una finca.

VIOLETA—No dije que fuera una finca, dije que era un terreno. Mi abuela era pobre, ¿qué os creíais?

ANGELINA—Bueno, pues…, esto es lo único que tenemos, así es que nos tendremos que conformar. Será mejor que nos organicemos. *(Arranca una rama de la tierra.)*

VIOLETA—¿Pero qué haces?

ANGELINA—Pretendo hacer un fuego para cuando caiga la noche.

CHIRUCA—Yo fabricaré una lanza por si nos atacan animales. *(Intenta arrancar otra rama.)*

VIOLETA—*(VIOLETA se lo impide.)* ¡No! La lista de Angelina acaba de cargarse un árbol.

ANGELINA—¿Quién, yo?

CHIRUCA—Pero si aquí solo hay tres palos.

VIOLETA—No, señor. Esto es un nogal, esto es un chopo y eso… *(Señala la rama de ANGELINA.)* Era un platanero de Virginia.

ANGELINA—Podías haberlo dicho antes.

VIOLETA—Sí me dejaras hablar de vez en cuando. Si no fueras tan Marisabia.

ANGELINA—¿Marisabia yo?

VIOLETA—Sí, a veces me recuerdas a D. Luciano.

ANGELINA—No te consiento que me compares con D. Luciano.

VIOLETA—Pues te comparo para que te enteres.

CHIRUCA—Un momento chicas, no vamos a ponernos a discutir ahora.

VIOLETA—Y tú, cállate, por tu culpa nos vemos en ésta.

CHIRUCA—Pero ¿yo qué he hecho?

ANGELINA—Tiene razón. Si no te hubieras gastado el dinero en los zapatos estaríamos durmiendo en un hotel y a Violeta no se le hubiera ocurrido traernos a vivir a un erial.

VIOLETA—*(Llora.)* ¡Un erial! ¿Llamas al terreno de mi pobre abuela un erial?

ANGELINA—Que no es un terreno. Es un solar con tres palos, y además no hay ninguna casa.

CHIRUCA—Sabéis lo que os digo, que me tenéis harta. Que si vais a seguir echándome en cara lo de mis zapatos, no quiero continuar con vosotras. Me voy.

VIOLETA—No puedes irte. Jalaínes dijo que deberíamos permanecer juntas.

CHIRUCA—Pero yo prefiero estar sola como él y buscarme un amigo que no me diga lo mal que hago las cosas.

(En ese momento se escucha un lobo en la lejanía y el miedo les hace unirse a las tres.)

CHIRUCA—Acabo de cambiar de idea. Siento mucho lo que os he dicho.

ANGELINA—Yo también lo siento.

VIOLETA—Y yo.

ANGELINA—Es un lobo, ¿verdad?

VIOLETA—Yo no sé nada de lobos. Sólo los he visto en cromos.

CHIRUCA—Parece mentira Violeta con lo que a ti te gusta el campo.

ANGELINA—Tengo entendido que no atacan a las personas, sólo a las ovejas.

CHIRUCA—Entonces ha debido de oler mi jersey que es de lana.

VIOLETA—Creo que deberíamos construir un refugio.

ANGELINA—Es lo que yo decía.

CHIRUCA—No empecemos.

VIOLETA—¿Tenéis idea de por dónde debemos empezar?

CHIRUCA—Yo sí.

LAS DOS—¿Tú?

CHIRUCA—Os dije que mi novio era licenciado en Albañilería y letras. Tengo planos. Estoy segura de que algo podremos hacer. *(Saca una carta del bolsillo y consulta un plano.)* Tenemos que almacenar cualquier cosa que pudiera servirnos y trabajar en equipo ¿de acuerdo?

VIOLETA—Como en la fábrica.

ANGELINA—Sí, pero esta vez para nosotras, no para D. Luciano.

(Suenan los acordes de una canción.)

> "Con cañas, hojas y piedras,
> con palos y con serrín,
> construimos el refugio,
> en donde poder dormir.
>
> Al fin todas decidimos
> repartirnos los trabajos
> y aunque no fuera un chalet
> nos quedó un piso bien majo.
>
> Una dijo: "Hay que comer"
> y plantamos altramuces.
> A otra le vino una idea:
> "Una granja de avestruces".
>
> Los días fueron pasando
> y hablando como personas
> llegamos a un gran acuerdo:
> Hacernos tres robinsonas".

Angelina—*(Al público.)* Hicimos de Berenjenal de las Altas Torres un lugar habitable y acogedor. Sembramos la tierra que muy pronto comenzó a dar frutos.

Violeta—*(Al público.)* El río nos proporcionaba todo el agua que necesitábamos. Había tanto trabajo que no nos dábamos cuenta de lo deprisa que pasaba el tiempo. Fueron días felices, muy felices.

(Las mujeres han ido transformando el espacio. Montones de tomates han brotado de sus matas esperando ser recolectados.)

Angelina—Estoy orgullosa de lo que hemos conseguido.
Violeta—Tenemos mucho trabajo.
Chiruca—Sí.

(Empiezan la recolección de tomates. Chiruca está regando y juega a salpicar a las otras. Risas, forcejeo con Chiruca y de repente.)

Chiruca—¡Ay! Qué pisotón me habéis dado.
Angelina—Perdona Chiruca. Deja que te vea.
Chiruca—Es aquí, cerca del tobillo.
Angelina—No es una rotura, pero seguro que mañana tendrás un buen cardenal. Habrá que hacer un vendaje.
Violeta—*(Le arranca un trozo de enagua.)* Mira, como en las películas.
Chiruca—Pues podrías haberte roto tú la enagua, guapa.
Angelina—Será mejor que mañana hagas reposo.
Violeta—Pero tenemos que seguir trabajando. Necesitamos a Chiruca.
Angelina—Una lesión es una lesión y acabo de darle la baja. Tendremos que hacer el trabajo entre tú y yo.
Chiruca—Muy bien, así podré escribir a Leo.
Violeta—¿Tu novio se llama Leoncio?
Chiruca—No.
Angelina—¿Leocadio?
Chiruca—No. Se llama Leo… Leo… Leonidas.
Violeta—Perdona, pero tiene un nombre muy feo.
Chiruca—Sí, pero él es muy guapo, muy listo y con los ojos muy azules.
Angelina—Fíjate que de rayitas te han salido en la planta del pie.
Violeta—*(Se fija en los suyos.)* Yo también tengo.
Angelina—Qué pena que no esté Jalaínes para leernos el destino.
Chiruca—¿Qué diría de estos bultitos en las manos?
Angelina—Que son callos de trabajar.
Violeta—Pues yo leo en mi mano que llegaremos a ser muy ricas, gracias a las cosechas de hortalizas.
Chiruca—Y yo en la mía que me casaré con Leo.

ANGELINA—Y yo que seré enfermera.

VIOLETA—Pero, cuando eso ocurra, ya no estaremos juntas, y si no continuamos juntas no se cumplirá el presagio de Jalaínes.

ANGELINA—A veces uno tiene que trazar su propio destino.

CHIRUCA—No quiero hablar de eso, me pongo muy triste.

VIOLETA—Yo tampoco. No me imagino la vida sin vosotras.

ANGELINA—Será mejor que durmamos. Mañana tendremos mucho trabajo. Hasta mañana.

(El ambiente se ha quedado triste y CHIRUCA *aprovecha para contar un chiste.)*

CHIRUCA—¿Sabéis cómo se llama el bumerán que no vuelve?

LAS DOS—¿...?

CHIRUCA—Palo.

(Se hace el oscuro y cuando vuelve la luz ya es otro día. CHIRUCA *escribe a* LEO *con el pie vendado, mientras* ANGELINA *y* VIOLETA *recolectan tomates.)*

CHIRUCA—"Querido novio, dos puntos: Vamos ya por la tercera cosecha de tomates. Tenemos..." *(A sus compañeras.)* ¿Cuántas toneladas de tomates tenemos?

VIOLETA—Cuatro.

CHIRUCA—"Cuatro toneladas y no sabemos muy bien qué hacer con ellos. Yo tengo un pie roto".

ANGELINA—No lo tienes roto. Estás perfecta y le estás echando cuento.

CHIRUCA—Bueno, herido, y no puedo trabajar, pero ¡caramba con las mosquitas!

(Mientras escribe la carta, un hombre vestido de verde le hace cosquillas con una ramita. CHIRUCA *advierte su presencia y grita. El hombre desaparece.* ANGELINA *y* VIOLETA *que estaban de espaldas van al encuentro de* CHIRUCA.*)*

ANGELINA—¿Qué pasa?

CHIRUCA—Un hombre horroroso. He visto a un hombre horroroso. Verde, con ojos saltones.

VIOLETA—¡Verde! ¿No habrás visto una rana?

CHIRUCA—No. Tenía dos brazos y dos piernas.

HOMBRE—*(Desde un lado.)* Buenos días.

(Las tres gritan.)

CHIRUCA—Eso. Era eso.

ANGELINA—Disculpe, es que no estamos acostumbradas a ver a nadie por estos lugares.

HOMBRE—No era mi intención asustarlas. Me llamo Leo y venía buscando a mi novia, Chiruca, y he pensado que quizá fuera alguna de Uds.

ANGELINA—Pues…

CHIRUCA—No, aquí no hay nadie con ese nombre.

LEO—Bueno en ese caso. *(Hace que se va.)*

ANGELINA—No se vaya. Disculpe un momento. *(Hace un aparte con* CHIRUCA.*)* ¿Cómo puedes ser tan desconsiderada? Ha venido a verte.

CHIRUCA—Pero ése no es el Leo que yo imaginaba. No me gusta. Es el repelente niño Vicente.

ANGELINA—Pues tendrás que ser valiente y decírselo.

CHIRUCA—Está bien *(A* LEO.*)* Oye Leo, Chiruca soy yo.

LEO—*(La observa de arriba abajo.)* No, no puede ser. La Chiruca que yo busco es morena de pelo largo y rizado y desde luego no es una campesina, es enfermera.

CHIRUCA—Pues no soy enfermera, para que te enteres, y lo del pelo era verdad, pero me lo he cortado. Tú decías que tenías los ojos azules.

LEO—Y sí que los tengo, pero no se me ven por las dioptrías.

CHIRUCA—Ya.

LEO—Ya. ¿Entonces tú eres Chiruca?

CHIRUCA—¿Y tú Leo? *(Se acerca y se besan fríamente en la mejilla, los dos se dan calambre.)*

(Se produce un pequeño silencio. La escena va adquiriendo cada vez más tensión. LEO *y* CHIRUCA, *está clarísimo, que no se gustan el uno al otro.* VIOLETA *y* ANGELINA *se miran sin saber muy bien qué hacer.)*

ANGELINA—*(Distendida.)* Bueno, Leo, pues si nos disculpas, tenemos que seguir recogiendo tomates. Tú puedes sentarte con Chiruca, debes estar muy cansado, y tendréis mucho de que hablar.

(Siguen con la tarea.)

LEO—No puedo quedarme mucho tiempo. Me esperan en Galicia. Hemos de impedir que un barco cargado de residuos tóxicos desembarque en la costa. Pondría en peligro todo el ecosistema.

CHIRUCA—¿El qué?

LEO—El ecosistema, fauna, flora, ya sabes…

CHIRUCA—Pero ¿no eras albañil?

LEO—Claro, pero estoy de vacaciones. Utilizo mi tiempo libre para trabajar en una organización ecologista. Venía a proponerte que te vinieras conmigo.

CHIRUCA—Pues… yo… Tengo que decirte una cosa.

LEO—Yo también.

(Los dos hablan a la vez con el mismo discurso sin atreverse a mirarse a la cara.)

LOS DOS—A veces uno se imagina cosas que luego en la realidad son distintas y yo tengo que decirte que... tengo que decirte que... *(Se miran.)* NO ME GUSTAS.

CHIRUCA—¿No te gusto?
LEO—¿Yo a ti tampoco?

(Música romántica. Los dos corren a abrazarse.)

LEO—No sabes el peso que me quitas de encima. Eres una chica extraordinaria.

CHIRUCA—Tú también, Leo, pero eres muy feo.

LEO—*(Se levanta de la silla y ayuda a* ANGELINA *y a* VIOLETA *a recoger tomates.)* Bueno, qué bien se queda uno después de decir la verdad.

CHIRUCA—Ya lo creo.

LEO—Os echaré una mano. Tengo que hacer tiempo hasta que salga mi tren. Estos tomates tienen una pinta estupenda. ¿Qué vais a hacer con ellos?

ANGELINA—No sabemos muy bien. Se están estropeando.

LEO—Es una lástima. El mundo está lleno de gente que pasa hambre.

VIOLETA—Pues nosotras estaríamos encantadas de que vinieran a comérselos.

LEO—No es tan sencillo. Sin embargo podríais hacer negocio con ellos y con el dinero recaudado invertir en organizaciones de ayuda al Tercer Mundo. Hay muchos países que necesitan hospitales, escuelas, libros. *(Reparte octavillas. Es un politicucho de tercera.)*

ANGELINA—¿Tú crees?

LEO—Desgraciadamente sí. Por eso creo un deber de los países ricos, ayudar a los países pobres, y creo en el compromiso personal y en la solidaridad entre los pueblos, única base posible sobre la que se cimentará un mundo mejor y más justo, un mundo por el que tenemos que luchar.

(A ANGELINA *se le caen los tomates de las manos.* CHIRUCA *y* VIOLETA *un poco aturdidas con el discurso aplauden por compromiso.)*

ANGELINA—Eso es maravilloso. *(Se acaba de enamorar de* LEO.*)*
VIOLETA—Pues yo no sabía que el mundo estaba tan mal.

LEO—Os quedaríais patidifusas si os contara las cosas que he visto. *(Mira a* ANGELINA, *mira el reloj. Algo nos hace pensar que también ha recibido un flechazo.)* Gracias. Bueno y ahora, he de irme. Se hace tarde.

ANGELINA—Si quieres puedes seguir escribiendo, aunque ya no seáis novios Chiruca y tú.

LEO—Enviaré una postal desde Alaska.

VIOLETA—¿No decías que ibas a Galicia?

LEO—Sí, pero allí sólo estaré un par de días, después partiré rumbo a Alaska porque seis delfines están varados en la playa y hay que hacerles volver a alta mar. *(Se pone el macuto.)* Adiós.

CHIRUCA—Desde luego vaya chasco. Leo era un sabihondo.

VIOLETA—Mujer, es muy inteligente.

ANGELINA—Y muy guapo. *(Descubre algo que se ha dejado.)* ¡Mirar se ha dejado un libro!

CHIRUCA—Con la impresión me he recuperado totalmente del pie. ¡Qué ganas de trabajar! Mira, se me acaba de ocurrir un chiste. Hay dos vacas en un prado y una dice "muu" y la otra dice "hija, acabas de quitármelo de la boca".

(ANGELINA mira el libro que se ha dejado LEO. Dentro hay una nota que ANGELINA lee con interés.)

VIOLETA—¿¡Angelina!? Vamos que ya quedan pocos.

ANGELINA—Ya voy.

ANGELINA—*(Al público.)* Algo cambió dentro de mí desde aquel encuentro con Leo. Gracias a él comprendí que el mundo no era sólo "Berenjanal de las Altas Torres". El mundo era algo más.

(Se va haciendo el oscuro. Al volver la luz vemos a VIOLETA y CHIRUCA caminando nerviosas de un lado a otro.)

VIOLETA—Mira por ese lado.

CHIRUCA—Ya he mirado. No viene.

VIOLETA—Nunca tarda tanto.

CHIRUCA—Te preocupas demasiado. Angelina sabe lo que hace.

VIOLETA—Sí, pero desde hace unos días está muy rara. Creo que está deprimida.

CHIRUCA—Si estuviera deprimida se hubiera puesto un tratamiento. Ella es enfermera. ¡Mira, ahí llega!

VIOLETA—Disimula que no note que nos preocupamos. Es peor darle importancia.

(ANGELINA entra.)

VIOLETA—¿Dónde te has metido?

ANGELINA—He estado paseando.

CHIRUCA—Has tardado mucho.

VIOLETA—He preparado pastel de tomate para la cena.

CHIRUCA—Y yo he preparado mermelada de tomate para el desayuno de mañana.

ANGELINA—¡Vaya novedad!

VIOLETA—¿Qué quieres decir?

ANGELINA—Nada, sólo que estoy harta de cosechar tomates, recoger tomates, comer tomates en el desayuno, la comida, la cena…

CHIRUCA—Tienen muchas vitaminas, míranos, estamos como robles.

ANGELINA—*(Llora.)* Pero es que a mí me gustaría comer fabada de vez en cuando.

VIOLETA—No llores, plantaremos judías y comerás toda la fabada que quieras.

ANGELINA—No es eso.

CHIRUCA—¿Entonces qué te pasa?

ANGELINA—Lo que quiero decir es que necesito probar otras cosas. Quiero conocer el mundo y sentirme útil ahí fuera.

VIOLETA—¿Para qué? Ya oíste lo que dijo Leo. El mundo está muy mal. Se mueren los delfines, la gente pasa hambre, y los barcos descargan residuos tóxicos. ¿Ése es el mundo que quieres conocer?

CHIRUCA—Aquí somos muy felices y no hacemos daño a nadie. Gracias a nuestro esfuerzo tenemos de todo.

ANGELINA—Ése es el problema. Tenemos de todo y estoy muy orgullosa de lo que entre las tres hemos conseguido. Sois mis mejores amigas, pero ha llegado el momento en el que debo marcharme si quiero ser feliz. Necesito comprobar si soy capaz de luchar por un mundo mejor. *(ANGELINA prepara su hatillo.)*

VIOLETA—¿Dónde piensas irte?

ANGELINA—Leo dejó una dirección dentro de este libro. Es de una organización que necesita enfermeras en muchos lugares del mundo.

VIOLETA—Entonces, lo tienes decidido.

ANGELINA—Sí. No os olvidaré nunca, sois mis mejores amigas y os llevo conmigo.

CHIRUCA—Escribe pronto. Ya sabes que las cartas siempre llegan.

ANGELINA—Lo haré.

(ANGELINA se va. VIOLETA y CHIRUCA cantan.)

> "La noche con la tristeza nos visitaba de golpe.
> Angelina nos dejaba por una razón muy noble.
> Seguro que con el tiempo será la mejor doctora,
> nosotras perseguiremos ser buenas agricultoras
> sin dejar nunca de lado la faceta de cantoras.
> Los cultivos son mejores haciendo de trovadoras.

> "Ella cuidará de niños que habitan el tercer mundo.
> Angelina siempre fue de pensamiento profundo.
> Y si algún día el destino nos reuniera con el dedo
> sería maravilloso luchar por un mundo nuevo".

VIOLETA—No puedo quedarme así. Tengo el corazón roto. Hay que hacer que vuelva.

CHIRUCA—Pero ella ha tomado una decisión y no va a volver. Tendríamos que ir nosotras. ¿Por qué no vamos con ella?

VIOLETA—¿Y dejarlo todo?

CHIRUCA—Construiremos lo mismo en cualquier otra parte. Recuerda lo que era esto antes de que llegáramos aquí. Tú eres muy lista, Violeta, y puedes enseñar a los demás a cultivar la tierra.

VIOLETA—¿Crees que podría hacer eso?

CHIRUCA—Claro que sí. Angelina no andará muy lejos. Si nos damos prisa podemos alcanzarla.

VIOLETA—¿Y tú qué harás?

CHIRUCA—Puedo dar clases a los niños, y en el recreo les contaré chistes.

VIOLETA—Haremos una organización a nuestra medida. Trabajaremos mucho.

CHIRUCA—Como hormigas.

VIOLETA—¡Eso es! "Hormigas tomateras", podríamos llamarnos "Hormigas tomateras".

CHIRUCA—¿Tomateras? Vamos a ir a muchos sitios, pero a lo mejor en todos no se pueden cultivar tomates.

VIOLETA—Eso sí que es verdad.

CHIRUCA—¡Ya lo tengo! "HORMIGAS SIN FRONTERAS".

VIOLETA—"¡Hormigas sin fronteras!" Oye, eso suena importante.

CHIRUCA—*(Al público.)* Y esta vez no será el destino el que nos lleve por caminos desconocidos; esta vez seremos nosotras quienes decidiremos nuestro propio futuro.

(OSCURO.)

ESCENA IV

ANGELINA, LEO, CHIRUCA, VIOLETA

(Al volver la luz, el paisaje se vuelve tropical. ANGELINA aparece en escena consultando unas radiografías.)

ANGELINA—¡Leo, Leo! Fíjate en esto. Es sorprendente, no ha tardado nada en recuperarse.

LEO—*(Aparece con unas cajas muy grandes que coloca por el suelo.)* Mira, Angelina, han llegado esta mañana.

ANGELINA—¿Qué es eso?

LEO—El envío de cuadernos y lapiceros de la campaña de Chiruca. Ha sido todo un éxito.

ANGELINA—¡Bien! ¿Chiruca sabe que han llegado?

LEO—No. Está en el aeropuerto reclamando el envío de medicinas.

ANGELINA—Se va a poner muy contenta cuando lo vea.

LEO—Ahora tendremos que organizar la distribución del material.

ANGELINA—Sí, pero antes quiero que veas estas radiografías.

LEO—Toma. *(Le carga con una enorme caja.)* Échame una mano.

CHIRUCA—*(Entra con más paquetes.)* ¡Yujuuuu!. Han llegado las vacunas, y el próximo envío de antibióticos llegará mañana...

VIOLETA—*(Va tras CHIRUCA.)* También han llegado mis semillas, y un montón de telegramas.

CHIRUCA—*(Mira las cajas.)* ¿Qué son todas estas cajas?.

ANGELINA—Son los cuadernos de tu campaña "aprender a escribir".

(CHIRUCA corre entusiasmada a abrir un paquete y a mirar en el interior.)

CHIRUCA—¡No me lo puedo creer!

ANGELINA—Leo, puedes hacerme caso un momento, necesito consultarte algo.

VIOLETA—*(Abre un telegrama.)* Escuchar esto: "Gran éxito campaña afiliación *Hormigas sin fronteras* Stop. Más de siete mil socios en todo el mundo. Stop. Ánimo. Stop".

CHIRUCA—¡Vaya birria!, siete mil socios.

LEO—A mí me parece una buena cifra.

VIOLETA—Conseguiremos tantos afiliados como tomates crecían en Berenjenal de las Altas Torres, ¡como me llamo Violeta!

LEO—*(Lee un telegrama.)* "Por falta de presupuesto. Stop. Denegada ayuda económica. Stop. Construcción hospital. Stop".

ANGELINA—Habrá que seguir intentándolo y al final conseguiremos que se rasquen de una vez el bolsillo. ¡Tacaños, más que tacaños!

LEO—*(A CHIRUCA.)* ¿Qué te pasa Chiruca?

CHIRUCA—*(Llora.)* Fijaos en esto.

VIOLETA—Son muy bonitos, ¿no te gustan?

CHIRUCA—Todo lo contrario, me gustan mucho.

ANGELINA—¿Entonces?

CHIRUCA—Los envían cientos de niños de todo el mundo.

LEO—Eso es estupendo.

CHIRUCA—Por eso lloro. Es que me he emocionado. *(Cambia de actitud.)* Lo primero que les enseñaré a escribir serán chistes.

LOS TRES—¡Noooo!

VIOLETA—Mira lo que aparece aquí... Escuchad esto. "Soy contento tener novia nombre tan raro. Stop. Pronto bailar contigo fiesta. Stop". *(CHIRUCA se levanta y le quita el telegrama a VIOLETA.)*

CHIRUCA—Es ruso y todavía no conoce bien nuestro idioma.

LEO—Creí que después de nuestra experiencia habías renunciado a los novios por correo.

CHIRUCA—Pues, mira Leo, soy así. No puedo evitarlo.

VIOLETA—¿Qué quiere decir "pronto bailar contigo fiesta"?

CHIRUCA—Era una sorpresa, estoy preparando la fiesta de aniversario. Hace ya un año que nos convertimos en "Hormigas".

ANGELINA—¡Un año! Cómo pasa el tiempo.

LEO—Y fijaos la cantidad de cosas que hemos conseguido. Somos un gran equipo.

CHIRUCA—*(De una caja saca unos dorsales con el logotipo de "Hormigas sin fronteras" que distribuye entre sus compañeros.)* Poneos esto. A ver qué tal.

VIOLETA—¡Son preciosos, Chiruca!

CHIRUCA—Y esto no es nada. Ya veréis cómo se van a quedar cuando nos vean bailar la coreografía que he estado ensayando.

LEO—¡Un momento, un momento! Conmigo no contéis para bailar, siempre se me han dado muy mal esas cosas.

VIOLETA—Pues tendrás que irte acostumbrando. Leo, también es importante divertirse.

CHIRUCA—Es un paso muy sencillo, verás.

(Le muestran el paso. VIOLETA ensaya con ellos y lo coge fácilmente. LEO tarda un poco más, pero le acaba gustando. CHIRUCA inicia una canción y la siguen VIOLETA y ANGELINA. LEO hace coros.)

> "Convertida en profesora, agricultora, enfermera,
> viajamos por todas partes, las hormigas sin fronteras.
> Brasil, África, la India, Sudáfrica y Mozambique.
> Trabajamos sin descanso, en todos esos países.
> El mundo reconoció nuestro trabajo y nuestra entrega.
> Nuestro nombre ya lo sabes, es *Hormigas sin Fronteras*".

ANGELINA—*(En un aparte al público.)* Poco a poco fueron reclamándonos en más lugares del mundo, "Hormigas sin fronteras" acudían siempre a la llamada. La fábrica de D. Luciano y Berenjenal de las Altas Torres, nos parecían un sueño lejano. Un día recordando a Jalaínes juntamos nuestros zapatos y por fin interpretamos aquella raya que estaba escrita en nuestro destino.

(Cantan.)

> "El mundo reconoció nuestro trabajo y entrega.
> Nuestro nombre ya lo sabes es *Hormigas sin fronteras*".

CHIRUCA—*(Al público.)* Conocéis ese chiste del mosquito que le dice a su madre, "mamá me voy al teatro", y dice la madre, "muy bien hijito, pero ten mucho cuidado con los aplausos".

(Un foco ilumina a CHIRUCA mientras se va cerrando y se hace definitivamente el oscuro.)

TELÓN

≈   ≈   ≈

Glosario*

cocía Cocida; quemada o enrojecida por el sol.

marisabia, marisabidilla [coloquial] Se aplica a personas que presumen de listas o de bien informadas.

erial [sustantivo] Un terreno sin cultivar; una tierra yerma; un páramo.

patidifuso [adjetivo, sustantivo; coloquial] Asombrado, sorprendido, extrañado, perplejo.

tacaño [sustantivo, adjetivo] Persona que gasta lo menos posible; un avaro.

birria, vaya birria [familiar] Cosa fea, inútil. Una basura.

* Nota de Girol: Las definiciones y explicaciones de los "Glosarios" se basan en las versiones en CD-ROM de *Clave. Diccionario de uso del español actual*. Segunda edición (abril 1998), Madrid: Ediciones SM; y del *Pequeño Larousse ilustrado. Diccionario enciclopédico*. Barcelona: Larousse Editorial, S.A., 1999.

CARMEN DELGADO SALAS
(1962-)

Carmen Delgado Salas nace en Madrid el 4 de abril de 1962. Desde los ocho años la niña precoz siente los primeros requiebros del teatro y se anima a escribir su primera obra dramática titulada "Cleopatra Pop". Su pasión por la palabra y por el arte dramático domina sus años formativos de los setenta y no se cansa de leer a autores españoles y latinoamericanos como Cela, Valle-Inclán, García Lorca, Max Aub y García Márquez. Durante esa época se junta al grupo de teatro "CHO" donde participa activamente en representaciones de obras clásicas y produce obras colectivas teatrales. En los años ochenta completa la licenciatura en periodismo en la Universidad Complutense, trabaja en TVE como guionista de programas infantiles y también redacta cuentos y canciones infantiles originales. En 1989 es seleccionada por el Centro Nacional de Nuevas Tendencias para tomar parte en el Taller de Estructura Dramática impartido por Paloma Pedrero. Delgado señala esa experiencia como una de las más trascendentales en su adiestramiento teatral y, en 1990, escribe *Sueña Lucifer,* por la cual recibe el accésit del premio nacional de textos teatrales "Marqués de Bradomín". En ese mismo año es invitada a la semana de la juventud en Perlora y asiste al taller de dramaturgia de Fermín Cabal donde tiene la oportunidad de conocer y ponerse en contacto con varios dramaturgos y actores contemporáneos. Durante los noventa Delgado escribe "La paz de Adrián" y *La boda* que forman parte de la trilogía "Tres secretos de tres".

El teatro de Delgado se distingue por el tratamiento directo y realista de personajes y situaciones actuales y por el uso de una jerga madrileña juvenil. Sus obras reflejan un mundo dominado por las discrepancias económicas y sociales y está poblado de unos personajes, más bien proletarios, quienes luchan por escaparse de las trampas precarias del vivir diario. Dentro de un marco realista la autora intercala un juego sutil, irónico, y a veces humorístico, que hace resaltar los elementos, los personajes y los espacios contradictorios: luz/oscuridad, vejez/juventud, enfermedad/salud, amor/odio, esperanza/desesperación, vida/muerte, destino/azar. En *Sueña Lucifer* sobresale el desajuste entre los individuos con pocos medios y menos recursos que se aferran a la vida y pugnan por sobrevivir; y los que no se resignan a su suerte y pelean por el derecho a morir con dignidad. Por un juego cruel del azar, los caminos de un amargado viejo moribundo y una joven madre soltera se entrecruzan para así transformarlos irrevocablemente. La invalidez física y espiritual del primero, yuxtapuesta a la inestabilidad social y económica de la segunda, sirven para unir dos destinos en el desamparo de la desilusión, de la codependencia y de un infierno compartido.

La boda, pieza corta de dos personajes, es una obra cómica y divertida que se arraiga en lo cotidiano identificable de los años noventa: espacios (ático), barrios (Móstoles, Madrid), personajes (dos jóvenes despistados), lenguaje (jerga popular juvenil) y argumento (un encuentro sexual pasajero). Dentro de este marco realista, Delgado evoca una historia de amor contemporánea, espontánea y complicadamente sencilla. El argumento se centra en un par de jóvenes que están por casarse ese mismo día. Al despertarse juntos después de una noche de parranda y de un encuentro sexual apasionado, Borja y Choni se asombran al averiguar que es casi la hora de "sus respectivas bodas" y que les será casi imposible llegar a tiempo a las iglesias y con las respectivas parejas que los esperan. Resulta, sin embargo, que estos amantes casuales de una noche, comparten mucho más que la complicidad de la traición y la mala suerte de estar atrasados el día de sus bodas. Mientras se apresuran a vestirse, los dos novios desparejados descubren que ninguno de los dos está muy convencido del paso enorme que está por dar. Se encuentran insatisfechos con la monotonía de su vida sin matices, y un porvenir que promete ser tan desapasionado como el presente. Borja y Choni, dos individuos que siempre habían tratado de complacer a los demás —madres, suegros, novios—, ahora, por primera vez, se atreven a imaginar cómo podría ser el futuro si pudieran escoger libremente. Al confesarse los sueños e ilusiones, Borja y Choni descubren que todavía no es demasiado tarde para intentar realizarse. Deciden arriesgarlo todo —dinero, prestigio, seguridad— y toman el camino laberíntico de la realización personal. Delgado no nos ofrece soluciones fáciles a problemas complicados. Sin embargo, con el final abierto de la obra vislumbramos un destello de ilusión recobrada y un aliento de esperanza.

IRIDE LAMARTINA-LENS
Pace University

Autorretrato: Carmen Delgado Salas

Foto: Candyce Leonard

Autorretratarse es una especie de misión imposible. Obtener una visión homogénea de uno mismo es complicado, y conseguirla de mí misma es pura utopía. Pero lo intentaré, aunque sospeche que quienes lean estas líneas intuirán a la Carmen que se ha levantado esta mañana, pues tengo la teoría de que eres según la vida te va…

No sé por dónde empezar; recurro a mi pasado, a esos cientos de páginas que he ido escribiendo desde mi infancia. Quizá encuentre parte de mí. Se me ponen los pelos de punta, me he topado con un fantasma, que era yo y que está casi muerta. "Casi", y en ese adverbio he encontrado las pocas líneas que dibujen mi retrato.

—Niña, ¿qué vas a ser de mayor?
—Yo seré feliz.

Quería ser feliz por encima de todo. Para mí era fácil; tenía todo el amor, el bienestar y la alegría que necesita un niño y si el día se ponía feo me apeaba de este mundo y volaba a mis islas. ¡Qué importantes han sido durante toda mi vida esas islas de situación geográfica desconocida!

La mejor de mis islas, entonces, era Islatebeo. Me podía pasar allí horas, días, meses. Lloraba cada vez que mi madre me arrancaba de mi isla para ir al parque, a tomar el aire, o cuando me perdía en mi islote en casa de las visitas leyendo debajo de la mesa camilla y me descubrían. Leer, leer y leer era y es una de mis grandes pasiones. Una de mis más queridas islas. Y allí soy feliz.

Posiblemente de los tebeos me viene la tendencia casi maníaca por el diálogo. Creo que he gastado más de la mitad de mi vida dialogando, no sólo como guionista, novelista o en el par de obras dramáticas que he escrito, es que he dialogado con él o ella parte de la noche. Lo más divertido es que al encontrarme con esa persona nuestras conversaciones casi no tienen nada que ver con lo imaginado.

Todavía hoy mantengo el mismo hábito: si me voy a encontrar al día siguiente con alguien especial dialogo con él o ella parte de la noche. Lo más divertido.

Y de Islalibro salté a Islapapel, mejor dicho; iba y venía. Cuánto he podido escribir durante los primeros veintitantos años de mi vida. Muchas palabras han permanecido en mis papeles, otras las he compartido con telespectadores, lectores o espectadores.

Soy feliz escribiendo, creo que sólo los escritores saben de esa emoción que se siente cuando has cazado una idea que te entusiasma y en algún momento de la escritura, pasando las arduas primeras líneas, empiezas a teclear a toda leche y pasas de faltas de ortografía, mayúsculas, minúsculas, de separaciones, puntos y comas, de toda barrera física y escribes sin respirar y te lo estás pasando divinamente y te ríes o lloras, depende de qué vaya el parto y desearías que ese momento no terminara nunca. Sumergirte en el mundo de tus fantasías. Y te mueres de placer cuando se hacen realidad y eso "casi" ocurre en un plató de televisión y realmente en un escenario.

Amo al teatro desde el 26 de noviembre de 1967. Tenía cinco años y mis padres me llevaron a ver "El pájaro azul" en el María Guerrero. Islateatro es aquel espacio de mi universo personal que me hace más feliz pero que por cuánto lo amo, temo solicitar la nacionalidad, porque quizá nunca salga de allí, pase lo que pase (que suele ser: no estreno, no publicación, no dinero).

Para terminar este fugaz islario os diré que me conmueve el ser humano en particular y disfruto de la riqueza que la maravillosa diversidad nos proporciona cada día. Además, confieso sin rubor, que por encima de elevadas ambiciones profesionales (también es legítimo no querer ser el número uno, ni siquiera el veintidós), está mi mundo más cercano: el de mi familia, el de los acontecimientos cotidianos tan plenos en sí mismos, el de la amistad a pelo… en fin, esas pequeñas cosas que hacen de la vida, vida.

En cuanto a *La boda*, pertenece a una trilogía que espero, algún día, terminar. Son tres historias de tres parejas en situaciones poco comunes. Empecé a escribir *La boda* porque me daba vueltas en la cabeza, desde hacía tiempo, la imagen de una pareja que se acaban de despertar juntos y se visten con urgencia de novios para ir cada uno a su respectivo enlace.

Luego jugué con los opuestos, mi juego dramático preferido. Choni y Borja venían de mundos separados por pocos kilómetros de distancia pero por toda una galaxia en educación, costumbres, familias, dinero, amigos, etc. Pero el amor es el elemento químico que produce las reacciones más explosivas en el laboratorio de la vida y consigue fusionar los elementos previsiblemente más incompatibles.

Son dos personajes jóvenes, cada uno con su ética y estética, y necesitaban diálogos cortos, rápidos, ágiles que trasmitieran la impresión de urgencia y frescura. Choni y Borja son muy distintos pero las frustraciones, los miedos, el apostar por la vida, eso es universal y no hay tatuaje o gomina que los diferencie.

~ ~ ~

CARMEN DELGADO SALAS

LA BODA

PRIMER CUADRO DE LA TRILOGÍA:
"TRES SECRETOS DE TRES"

PERSONAJES

BORJA
CHONI

Escena I

Borja, Choni

(Pequeño ático de Móstoles. En uno de los laterales hay un balcón con vistas a un mar de edificios clónicos. Por las paredes de la habitación trepan fotos de amigos, osos de peluche, sombreros de todo tipo, fulares, flautas de distintos tipos, una rueda de moto, algún banderín o insignia de Harley Davison, una muñeca chochona; los pósters de Leño, atardecer en el Caribe y Antonio Banderas medio desnudo. Estanterías con libros, separados por pisapapeles de agua, de ésos que al darles la vuelta, de repente, nieva. Hay plantas por todas partes, cerca del balcón una mesa de estudio. A pesar de lo barroco de la decoración todo está limpio y en orden.

La vivienda está compuesta por un salón-dormitorio-comedor con una minúscula cocina empotrada, un armario ropero con espejo, cuarto de baño y puerta de salida. Junto a la cama aparcada una moto.

Al levantarse el telón, el sol entra a raudales por el balcón abierto. Borja y Choni duermen desordenadamente, a pierna suelta. Sobre la cama botellas vacías de champán.

Oímos la alarma de un despertador, seguida de la canción "Yo para ser feliz quiero un camión…" a todo volumen.

Borja se incorpora sobresaltado, intenta abrir los ojos pero la luz del día se lo impide. Se envuelve la cabeza con la almohada para aislarse del ruido, la luz y la resaca.)

Borja—Jolín, ¿qué es eso?

Choni—*(Se arrastra por la cama para desconectar la alarma. Balbucea.)* Yo para ser feliz quiero un camión, pi, pi…

Borja—Mi cabeza…

Choni—*(Riéndose medio dormida.)* Pues si vieras los lunes. Me pongo las pilas con Barón Rojo. Pero es que los sábados voy de suave.

Borja—*(Abre la almohada.)* ¡Sábado! ¡Sábado, hoy es sábado! ¡Sábado!

(Borja salta de la cama como si le quemase. Recorre la habitación de un extremo a otro.)

Choni—Lo has pillado… sí coleguita, es sábado.

Borja—*(Gritando.)* ¡La boda!

Choni—Tronco, no grites que tengo la cabeza como un programa de centrifugado… ¿qué boda?

Borja—*(Agita a Choni.)* ¡Mi boda! Tu boda.

(Ahora es Choni la que se incorpora como un cohete.)

Choni—*(Grita.)* ¡Ahí va mi vieja… La boda!

(Borja continúa cruzando la habitación como un demente.)

Borja—¿Qué hora es? No me lo digas. Sí, dímelo. No, prefiero no saberlo.

Choni—¡Coño, las cinco! Las cinco de la tarde. Las diecisiete horas.

Borja—¡Una hora! *(Se queda paralizado.)*

Choni—Qué marronazo, el día de mi boda y va y se me descojona el despertador.

Borja—¡Dios mío, sólo una hora…! ¡El chaqué! ¿Dónde está el chaqué? Ya está… en el maletero. Las llaves. ¿Dónde están las llaves?

(Borja busca las llaves entre su ropa que está tirada por el suelo. Choni sigue dando vueltas sin saber qué hacer.)

Choni—Matarile rile rile… Qué putada, ¿por dónde empiezo?

Borja—*(Encuentra las llaves.)* Gracias, virgen de los Remedios.

(Borja se dirige a la puerta y de repente se detiene.)

Borja—El coche, ¿dónde he aparcado el coche?

(Sale al balcón. Alterado, grita, se lleva las manos a la cabeza.)

Borja—¿Qué es esto? ¿Dónde me he metido?

Choni—Brónstoles. Madrid. *Spein.*

(Choni saca el vestido de novia del armario, lo estira con nerviosismo.)

Borja—¡Móstoles! ¿Y qué hacemos en Móstoles?

Choni—Ayer por la noche empanadillas. ¿O es que ya no te acuerdas, coleguita? *(Le agarra de los genitales.)*

Borja—Claro que me acuerdo. Choni, veinticinco años, mensajera. Le gusta tocar la flauta y los boquerones en vinagre.

Choni—Bingo.

Borja—Perdona, ¿puedo ir a por mi chaqué?

Choni—*(Le suelta.)* Yo que tú me pondría unos pantalones. Aquí la peña es como en los culebrones, pobre pero decente.

(Borja se pone un pantalón y sale.)

Borja—Claro y por eso duermes con la moto, qué rica. Hasta ahora.

(Choni abraza a su moto.)

Choni—Hoy es un gran día, Vanessa Davison. Voy a ser como cualquier novia, de blanco, radiante, la más guapa… igual que las demás.

(De repente, parece acordarse de la hora que es y empieza a sacar del armario, apresuradamente, las medias, los zapatos, el velo, la diadema, las enaguas, el armazón del cancán, la ropa interior, un albornoz. Menos el albornoz el resto lo esparce por la habitación.)

CHONI—La pelu ya estará cerrada y la Rosy dirá que si me he muerto. Es que tiene bolas el asunto, el día de mi boda... y yo con estos pelos. Las uñas, tengo que pintarme las uñas. No, no. Lo más importante, la ducha, justo hoy no puedo oler a sobaco concentrado... Qué movida, qué movida. La culpa la tiene el champán de los huevos. Todo esto me pasa por probar cosas caras.

(CHONI se mete en el baño, cierra la puerta con pestillo. Abre la ducha. Entra BORJA, con el chaqué debajo del brazo.)

BORJA—Jolín, ahora ésta se ha metido en la ducha. *(Golpea la puerta del baño.)* Choni, porfa, déjame a mí primero.

CHONI—No.

BORJA—Anda, cielo. Mira, tú, como eres la novia siempre puedes llegar más tarde... porfa.

CHONI—No.

BORJA—¡Rica, que tengo que llegar hasta Madrid!

CHONI—Eso te pasa por capitalista. Y deja de darme la vara que no atino con el tinte.

BORJA—Pues date prisa... La virgen, la que... ¡Ostrás, mi madre!

(BORJA busca el teléfono y marca. Mientras coloca primorosamente el chaqué sobre la cama.)

BORJA—¿Mamá?... sí... pero... en casa de un amigo... lo siento... yo... perdona mamá... es que me encontraba fatal, ya sabes unas copas... Claro, como tú siempre dices que no coja el coche bolinga... sí, he querido decir bebido. Jo, mamá, claro que sé que es mi boda... por favor, mamí, no llores... ¿a todos los hospitales? ¿y a la policía?...jolín, mamá, qué pasada. *(Asustado.)* ¡¿Qué?! ¿No le habrás dicho nada a Martita? *(Respira aliviado. Aparte.)* Menos mal. Sí, ya sé que sólo faltan cuarenta y cinco minutos. No te preocupes, seguro que llego a tiempo. Ya estoy casi listo, vamos a puntito de salir por la puerta, ¿a casa? No, no. Voy directamente a la iglesia, ya sabes, me gusta llegar a las bodas con tiempo de sobra. Para coger sitio... Hija, mamá, que era una broma. No te angusties... No, no estoy nervioso... *(Oímos cerrar el agua de la ducha.)* ...ahora tengo que colgar. Chao, mamí.

(Sale CHONI del baño con el albornoz y papel de plata alrededor de la cabeza con mechones de pelos que sobresalen.)

CHONI—*(Señalando al baño.)* Todo tuyo, Borjita, haga prisas.

BORJA—¿Y si no me ducho? *(Se huele las axilas.)* Ay, huelo a currante.

CHONI—Todo se pega, coleguita. Cierra la puerta y no salpiques de agua el suelo o luego pasas la fregona. *Eslige.*

(BORJA se mete en el baño. CHONI se mete tras la hoja del armario y arroja el albornoz empapado sobre el chaqué de BORJA. Se viste con premura. Se oye el correr del agua.)

CHONI—Joé, y ahora esto no abrocha.

BORJA—Choni, por favor, ¿tienes maquinilla? No tengo con qué afeitarme.

CHONI—Sí, pero es la que utilizo para depilarme. Me ca... en los corchetes. Será esto muy *sesi* pero hay que...

BORJA—¿Y no tienes cuchilla nueva?

CHONI—No. Por fin. *(Sale de detrás del armario y se mira en el espejo, con su body de novia.)* Pero qué cuerpo tengo. De chupa, pan y moja.

BORJA—Choni...

CHONI—¿Qué, tío plasta?

BORJA—¿Te puedo hacer una pregunta personal?

CHONI—Dispara.

BORJA—Tienes el SIDA.

CHONI—Ay va la leche, con lo que me sale el pijo... No lo sé, supongo que no. ¡Mierda, se me ha roto una uña! ¿Y para esto me he pasado dos meses sin mordérmelas? Qué chungo.

BORJA—Entonces, ¿qué hago, me afeito o no?

CHONI—Mira, guapito de cara, haz lo que te salga de las napias. Yo te he avisado. Creo que no lo he pillao pero nunca me he hecho un análisis. No me pincho, utilizo condones y con esa cuchilla me afeito el chichi.

BORJA—¿Y eso qué es?

CHONI—¡Los pelitos del co...!

BORJA—¡Ah! el co... eso. Entonces no me afeito. Como casi no tengo barba. *(Se cierra el agua.)* ¿Dónde están las toallas secas?

CHONI—¿Por qué los tíos nunca miran y siempre preguntan...? Debajo del lavabo.

BORJA—¿Y el peine...?

CHONI—*(Mal humor.)* En la Patagonia...

BORJA—Lo siento, como no conozco tu baño.

CHONI—Tío, que no es el Calderón, vamos, que si respiras con un poco de fuerza se te pega el papel higiénico a la nariz.

BORJA—¿Y la gomina?

CHONI—De eso no uso.

(Sale BORJA del baño todo apurado.)

BORJA—¿Y cómo me voy a casar sin gomina? No puedo casarme sin gomina. Sería horrible.

CHONI—Andá, mi vieja, pues no te cases.

(BORJA se acerca y la descubre en la ropa interior.)

BORJA—No te cases tú. Qué guapa eres... ¿Y tú por qué te casas?

CHONI—Porque me da la gana. Tienes aceite en la cocina, digo que será más o menos como la gomina.

(BORJA intenta encontrar la cocina.)

BORJA—Choni, siento molestarte otra vez... ¿Pero de verdad que hay una cocina aquí?

(CHONI abre las puertas y descubre la cocina.)

CHONI—Sí, colega, los de la costa marrón a veces también comemos. Ésta te la paso porque era de nota.

BORJA—Anda, Choni, dime por qué te casas.

(CHONI le pone el aceite en el pelo.)

CHONI—Por lo mismo que todo el mundo, digo. Te encuentras con el contrario, te das unos revolcones, te quedas más colgada que un paraguas en el Sahara y si le convences, te casas.

BORJA—Pero tú... ¿quieres a...?

CHONI—Miki, ¿te acuerdas?, como el ratón...

BORJA—¿Tú quieres a Miki?

CHONI—Se acabó, ya me tienes harta de tanta pregunta, qué *men*, parece la CIA. Que si tengo maquinilla, que dónde están las toallas, que si quiero a mi novio. ¿Pero de qué vas Blas?

(CHONI se pone las medias.)

BORJA—¿Qué Blas?

CHONI—Corramos un estúpido velo.

(Los dos en silencio continúan vistiéndose.)

BORJA—Yo llevo trece años saliendo con Martita, mi novia.

CHONI—¡¡¡Trece años!!! ¿Qué? ¿Te dio el flas en la primera comunión?

BORJA—Qué va, fue mucho después. El año siguiente.

CHONI—¿Pero tú, de qué planeta te has caído?

BORJA—¿Y tú, hace cuánto que sales con Miki?

CHONI—Seis meses. ¿Me ayudas?

(CHONI le da el armazón del corsé a BORJA.)

BORJA—Sólo...

CHONI—Lo nuestro es un amor pasional. Por la cabeza...

BORJA—Y ésos cómo son.

CHONI—De ésos que te pasas todo el día triqui que triqui.

BORJA—¿Cómo tú y yo ayer por la noche?

CHONI—Más o menos...

Borja—¡Qué suerte! Yo con Martita nada de nada.

Choni—No, si ya me di cuenta.

Borja—Ah, se me notó.

Choni—Total.

Borja—Lo siento yo…

Choni—Bua, no te cortes, eres un poco pardillo pero me gustó… mucho.

Borja—*(Entusiasmado.)* ¿Sí?, ¿de verdad? ¿No te estás riendo de mí?

Choni—*(Riéndose.)* Que no. Te falta práctica… pero eres tan suave y tan tierno… Y, tío, qué cosas más guays dices. *(Mirando el reloj.)* ¡Hostia, las cinco y media!

Borja—Que no llego, que no llego. Y Martita me mata, me degüella y me hace tragar la lengua.

Choni—Jodé, qué fiera.

Borja—Uf, no sabes el carácter que tiene. Es muy maja pero manda un montón…

(Borja retira el albornoz y levanta su chaqué. Está empapado y arrugado.)

Borja—*(Furioso.)* ¡Mira! Mira lo que me has hecho. Está mojado y arrugado…

Choni—Ostrás, tío, perdona…

(Borja desesperado, agita el chaqué.)

Borja—¿Por qué me tiene que pasar a mí esto? No llegaré a mi boda, Martita no me hablará nunca más. Mi madre llorará para el resto de su vida y mi padre, su padre… mi jefe… ¡Perderé mi trabajo! ¡¡Lo voy a perder todo…!! Me está bien empleado por ser un canalla y engañar a mi novia de toda mi vida con una…

Choni—¡Vamos, dilo! ¿Cómo me llamó tu amigo…? ¡La macarrita…! Vete.

Borja—¿Qué?

Choni—Que ésta es mi casa y tú ahora mismo te vas a la puta calle.

(Choni lleva a Borja hasta la puerta a empujones.)

Borja—Choni, por favor no te enfades conmigo, yo…

Choni—Largo.

(Choni cierra la puerta.)

Borja—Choni, por favor que estoy en calzoncillos y me van a ver los vecinos…

Choni—Que te zurzan.

(Agarra el chaqué, los zapatos todo lo que encuentra de BORJA, *abre la puerta y se lo arroja a la cara. Cierra.)*

BORJA—*(Desde fuera.)* ¿Pero qué he dicho yo para que te pongas así...?

CHONI—Adiós.

*(*CHONI *se enfunda el vestido con rabia.)*

BORJA—Choni... Choni, disculpa si te he ofendido...

CHONI—Ese pijo de mierda, ¿qué se habrá creído? *(Gritando.)* Entérate, guapín. Yo no tengo nada que perder, porque todo es mío, mi trabajo, esta casa, mis amigos... sólo perdería a Miki que, aunque es un poco bruto, es bastante más legal y más de verdad que tú y que los capullos de tus amigos. Y si te arrepientes de follar con la Choni que te folle un pez.

BORJA—Adiós, Choni, ya me voy. Pero que sepas que no me arrepiento, que no he fo... eso contigo, sino que hice, bueno hice que me hiciste el amor... y que sé que no te podré olvidar... que me gustaría haberte conocido antes... ya sabes, el día de mi comunión... perdona, pero me tengo que ir... Que seas muy feliz.

(Se oyen los pasos de BORJA *al bajar las escaleras.* CHONI *se lanza a la puerta.)*

CHONI—Anda tolai, pasa... No puedes ir a tu boda con esas pintas... te plancharé el traje en un santiamén.

(Saca la tabla de la plancha y de ídem.)

BORJA—Gracias, Choni, lo siento...

CHONI—Tío, te repites más que el ajo. Deja de decir "lo siento", "perdona", "por favor", cada vez que respiras. Somos colegas, ¿no? Pues lo demás sobra.

BORJA—Vale.

CHONI—Anda, pásame ese libro, el más gordo. Esta tabla cojea.

BORJA—*(Mira la portada del libro.)* Ostrás, pero si es el Código Penal pero...¿tú también estudias derecho?

CHONI—¿Qué pasa, que no puedo?...

BORJA—Sí, claro, es que no me imaginaba...

CHONI—Otro igual. Tranquí colega, que no te voy a quitar el puesto. Lo dejé.

*(*CHONI *coloca el libro y se pone a planchar.)*

BORJA—¿Por qué?

CHONI—Bua, yo qué sé. Tenía que chapar después de estar doce horas montada en la burra, y los fines de semana no podía salir... Y no te creas, a mí eso no me importaba. Cuando estaba muy cansada pues me imaginaba con la toga puesta, defendiendo a los coleguitas y hablando con esas palabras que suenan tan propias... "Señoría, si aplicamos el artículo treinta y dos del código penal tal y como dice la ley, está claro, mi defendido es inocente..."

BORJA—Entonces ¿qué pasó?

CHONI—Que conocí al Miki. Todas las noches me daba la vara para que saliésemos de coña, al final me comía el coco y yo dejaba los libros para otro día. Además, ¿para qué? ¿Tú te imaginas a la Choni con toga? *(Riéndose.)*

BORJA—Yo sí. *(Serio.)*

CHONI—El Miki cada vez que se lo imaginaba, se descojonaba de risa. Decía que los que universitarios son todos unos pollinos, que tanto chapar para luego engordar el paro. Que si eso no era para mí, que si los abogados son todos unos pijos gilipollas...

(Recoge la plancha, le da el libro a BORJA.)

BORJA—Como yo...

CHONI—No, como tú no..., toma, ya tienes planchado el chaqué.

BORJA—Muchísimas gracias. Yo he odiado este libro cada minuto durante cinco años. Odio ser abogado.

CHONI—¿Tú? ¿Por qué?

BORJA—Yo quería ser pintor.

CHONI—Ay va la leche, ésos sí que no se comen una rosca.

BORJA—No me importaría, con tal de poder pintar todo el día, lo del dinero me da igual. ¿Sabes? Es mi sueño.

CHONI—Claro y luego te comes los cuadros, no te jode. Como se nota que siempre te han dado de papear por la cara.

BORJA—*(Le da la espalda y se viste a toda velocidad.)* ¡Ya lo sé! No hace falta que tú también me lo digas. Me lo han estado repitiendo durante toda mi vida, desde que era un chaval y pintaba el mar de colores; mi madre, mi padre, después Martita, su madre, su padre, los amigos. ¡Estoy harto! Ya lo sé. Sé que es un sueño imposible pero, aún así, es sólo mío. ¿Te enteras?

CHONI—¡Eh, para el carro colega! Conmigo no te sulfures que a mí los artistas me caen muy bien, están un poco locos pero no hacen mal a nadie. Entonces ¿para qué estudiaste derecho?

BORJA—Martita...

CHONI—Me lo temía.

BORJA—Por ella estudié derecho, por ella trabajo con su padre, por ella yo ya no pinto nada.

CHONI—Venga tío, no te amurries. Que estás de abuti con ese chaqué. Vamos, que pareces un Mario Conde cualquiera. Anda, abróchame que ya es muy tarde.

Borja—Choni, ¿cómo será eso del matrimonio?

Choni—No sé, me imagino que como el tiempo. Unos días nublados, otros brillantes como los de primavera, tormentosos con sus rayos y truenos, suaves y cálidos como las noches de junio...

Borja—O fríos como las madrugadas de febrero.

Choni—Ésos son los peores. Tío, no sé cómo te lo montas pero me haces ser otra...

Borja—¿Cómo que otra?

Choni—Sí, no sé cómo explicártelo. Mira, las mujeres casi siempre somos como quieren que seamos los hombres. Eso está chupado, lo difícil es ser como una misma quiere ser... Bua, ya estoy con mis tonterías, como dice el Miki: "Choni, la jodiste, ya estás otra vez en plan séneca".

Borja—¿Y tú cómo quieres ser?

Choni—No lo sé. Más fina, más culta, más... algo. Algo más.

Borja—A mí me gustas así, tal cual.

Choni—Pero no me voy a casar contigo tío, sino con el Miki.

Borja—Y Miki, ¿cómo quiere que seas?

Choni—Potente, colega, macarrita y oveja.

Borja—¿Oveja?

Choni—Sí, oveja, que diga beee a todo lo que él quiera.

Borja—¿Y tú siempre dices beee?

Choni—Qué va, a lo primero me pongo muy chula pero luego tengo que tragar.

Borja—¿Por qué?

Choni—Porque paso de broncas, al Miki enseguida le hierve la sangre y se pone violento.

Borja—¿Te pega?

Choni—Casi nada.

Borja—A mí, Martita, también.

(Choni se queda alucinada y le mira.)

Choni—¿Pero qué dices?... ¿que tu chorba te sacude? Coñó, con la Martita.

Borja—Hombre, sacudirme, sacudirme. Así como a ti, casi nada.

Choni—Ay va mi vieja, si resulta que somos hermanos de leche.

(Los dos se ríen.)

Borja—No le cuentes a nadie lo que te he dicho. Es un secreto, sólo lo sabes tú.

Choni—Pues lo mío y lo de Miki, lo sabe toda la panda, pero como si nada. Entre los *en* del grupo se estila. Eso es lo que más rabia me da.

Borja—Si yo fuese más valiente, le partiría la cara a tu novio, pero, como dice Martita, yo sólo soy don Borja Calzonazos de la Media Torta.

CHONI—Lo tuyo con esa pava es muy fuerte, es de tortura *pisológica*.
BORJA—Ya está. Qué barbaridad. Noventa y tres botoncitos.
CHONI— A ver, para fastidiar al contrario. Gracias. *(Le besa.)* Arrea las seis menos cuarto. Anda, sal pitando, que no llegas. Mierda, el tinte.

(CHONI se va quitando el papel de plata y entra en el baño. BORJA se pone los zapatos de cordones.)

BORJA—Bueno, por fin. Dentro de unas horas me habré casado con Martita… para toda la vida. *(BORJA se derrumba. Chillido de CHONI, sale del baño con una toalla envuelta en la cabeza y se planta delante del espejo.)* ¡Choni! ¿Qué te pasa?

(CHONI tira de la toalla. Las mechas le han quedado de un rojo fosforito.)

CHONI—¡Mira! Mira mi pelo. ¡Borja, mira mi pelo!
BORJA—Sí, sí, ya miro… ¿es el mismo de hace un rato?

(BORJA rompe a reír. CHONI le mira con cara de quererlo asesinar y le da un empujón.)

CHONI—Desgraciado, todo es culpa tuya, por emborracharme con exquisiteces, por liarme con esa cara y esas maneras de príncipe azul. Eres un canalla… *(Rompe a llorar.)* …Es el día de mi boda, ¿te enteras? Ese día, un solo día en mi vida. Veinte minutos más, y debería entrar por la puerta de la iglesia con la cabeza bien alta, sabiéndome la más bonita, de blanco, como cualquier novia; radiante y enamorada… ¡Y mírame! *(Chillando.)* ¡Mírame! Seguiré siendo la Choni, esa macarrita, la chorba del Miki. *(Llora. BORJA saca el pañuelo del chaqué y le seca las lágrimas.)*
BORJA—No llores, por favor no llores… para mí, tú eres la más bonita, así con esos pelos y con tu moto, y tus boquerones en vinagre y tu risa que me da risa. Para mí serás la princesa de mis sueños…

(CHONI vuelve a llorar ahora más fuerte.)

BORJA—Perdóname, ya sé que soy un cursi… pero no llores más, por favor… Escucha, yo creo que si te recoges el pelo en un moño… ¿Dónde están las horquillas?
CHONI—Aquí…

(BORJA le hace un moño como puede, que es bastante bien.)

BORJA—Lo adornamos con las flores.
CHONI—Tú y yo no tenemos suerte, ¿verdad, colega?
BORJA—Verdad.
CHONI—¿Y qué le vamos a hacer?
BORJA—Lo que se pueda… Agacha la cabeza. No te muevas.

(BORJA coge el velo y se lo pone.)

BORJA—Cierra los ojos.

(BORJA conduce a Choni hasta el espejo, le estira el velo y termina de vestirse él.)

CHONI—Borja, ¿sabes que ya llegas tarde?
BORJA—Sí, ya lo sé. Espera, espera, no abras los ojos todavía.
CHONI—Lo vas a perder todo. ¿No te importa?
BORJA—No lo sé. Es demasiado pronto para saberlo. Abre los ojos.

(CHONI abre los ojos y se contempla en el espejo.)

BORJA— Aquí tienen, señoras y señores, a la novia más guapa, más radiante y...

(CHONI le coge del brazo.)

CHONI—Más enamorada... Oye, hacemos una buena pareja.
(BORJA la conduce hasta la puerta.)

BORJA—Vamos, que no llegues tarde.
CHONI—No Borja, ya es muy tarde.
BORJA—¿Qué vamos a hacer? *(Mirándose.)* Así...
CHONI—¿Te hacen unos boquerones en vinagre? Vamos.
BORJA—A mí me gustan más las bravas.
CHONI—Pues media de boquerones y media de bravas. ¿Vamos?
BORJA—Vamos, coleguita.

(Fuera.)

CHONI—Tío, así con ese chaqué estás del doce.
BORJA—¿Y eso qué es?

(Cierra la puerta y baja el

telón.)

~ ~ ~

Glosario*

abuti, estar de; dabuti Estupendo.

amurriarse Deprimirse; entristecerse.

bolinga [adjetivo; coloquial] Borracho. No varía en género….

bravas, patatas Una de las tapas más conocidas en los bares de España, como también lo son los boquerones en vinagre.

cagar, cagarse en, me ca…, me cago… [vulgar] Expresión muy extendida para indicar enfado o disgusto.

calzonazos [coloquial] Un hombre dominado, en particular, por la mujer.

cantinela [coloquial] Algo que se repite con una insistencia que molesta.

chichi, afeitarse el chichi [vulgar] La vulva. Afeitarse el vello púbico.

chorba, bo Compañera, compañero.

chungo [adjetivo; coloquial] Mala suerte. Podrido. Descompuesto. De mala pinta o en mal estado. Feo. Sentirse mal.

chupa, de ___, pan y moja [coloquial] Quiere decir que la persona indicada está muy atractiva, muy "sesi".

chupado [coloquial] Ser fácil o sobreentendido.

coco, comer el [coloquial] Convencer a alguien.

coño, el [sustantivo] El sexo femenino.

currante/a [coloquial] Trabajador.

eslige Elige. Decide.

flas [anglicismo] Flash. Sorpresa, choque. Sensación intensa de euforia producida por drogas, sexo, etc.

follar Copular.

gomina Laca para el cabello.

guay Bueno, simpático.

jolín, jolines [interjeccion; coloquial] Expresión que se usa para indicar extrañeza, sorpresa, admiracion o disgusto.

macarrita, la Vulgar, de mal gusto; prostituta.

napias, de las Narices. Haz lo que te dé la gana.

ostras, ostrás [interjección] Expresión que se usa para indicar extrañeza, sorpresa, admiracion o disgusto. En general se pronuncia "ostras", pero también es frecuente convertirla en palabra aguda: "ostrás".

papear por la boca [coloquial] Comer. Nunca le ha faltado nada.

pijo, el [coloquial] El pene, órgano sexual masculino. También: niño bien; persona de altas circunstancias sociales, o que presume serlo. Tonto.

politicucho de tercera Un político de poco rango.

porfa [interjeccion; familiar] Por favor.

puta, irse (andar) a la [vulgar] Mandar a alguien al demonio.

séneca, en plan Alusión al filósofo latino de Córdoba que significa que está pensando mucho y complicando las cosas.

sesi [anglicismo] Sexy.

vara, dar la vara [coloquial] Molestar o importunar.

zurzan, que te [coloquial] Indica que no le importa.

* Nota de Girol: Las definiciones y explicaciones de los "Glosarios" se basan en las versiones en CD-ROM de *Clave. Diccionario de uso del español actual.* Segunda edición (abril 1998), Madrid: Ediciones SM; y del *Pequeño Larousse ilustrado. Diccionario enciclopédico.* Barcelona: Larousse Editorial, S.A., 1999.

Bibliografía selecta de los noventa

A. Estudios Generales

Alberdi, Cristina. "Un premio para mujeres". *Premio "María Teresa León" 1994.* Cocinando con Elisa *de Lucía Laragione y* Lugar común (Posesión en doce tiempos) *de Lucía Sánchez.* Madrid: Asociación de Directores de Escena de España, 1994. 7-8.

Aznar Soler, Manuel. "Teatro español y sociedad democrática (1975-1995)". *Veinte años de teatro y democracia en España (1975-1995).* Manuel Aznar Soler, ed. Sant Cugat del Vallès: Cop d'Idées-CITEC, 1996. 9-16.

Cañizares Bundorf, Natalie. *Memoria de un escenario. Teatro María Guerrero 1885-2000.* Madrid: Instituto Nacional de las Artes Escénicas y de la Música, Centro de Documentación Teatral con la colaboración de la Sociedad General de Autores y Editores de España, Fundación Autor, 2000.

Coll, Alberto. *El Premio Born. Cómplices. Primer Acto* 280 (1999): 46-47.

Cuadros, Carlos. "Abiertos en canal". *Primer Acto* 269 (1997). 137-38.

Doll, Eileen J. "Entrevistas a cuatro dramaturgas españolas: Romero, Pedrero, Falcón y Pombo". *Gestos* 14.28 (1999). 149-57.

Falcón, Lidia y Elvira Siurana. *Catálogo de escritoras españolas en lengua castellana (1860-1992).* Madrid: Consejería de Presidencia. Dirección General de la Mujer, 1992.

Floeck, Wilfried. "¿Arte sin sexo? Dramaturgas españolas contemporáneas". *Teatro español contemporáneo.* Alfonso de Toro y Wilfried Floeck, eds. Kassel: Edition Reichenberger, 1995. 57-76.

_____. "Escritura dramática y posmodernidad: El teatro actual entre neorrealismo y vanguardia". *Ínsula* 601-602 (1997): 15-16.

Gabriele, John P. y Candyce Leonard. "Fórmula para una dramaturgia española de finales del siglo XX". *Panorámica del teatro española actual.* Madrid: Fundamentos, 1996. 7-21.

Gómez García, Manuel. *Diccionario Akal de Teatro.* Madrid: Ediciones Akal, (1997).

_____. *El Teatro de Autor en España (1901-2000).* Valencia: Asociación de Autores de Teatro, 1996.

Hormigón, Juan Antonio. (Dirección) *Autoras en la historia del teatro español. Vol I. Siglos XVII-XVIII-XIX.* Madrid: Asociación de Autores de Escena de España, 1996.

_____. (Dirección) *Autoras en la historia del teatro español. Vol. II. Siglo XX (1900-1975).* Madrid: Asociación de Autores de Escena de España, 1996.

_____. (Dirección) *Autoras en la historia del teatro español. Vol. III. (1975-2000).* Madrid: Asociación de Autores de Escena de España, 2000.

_____. "Breve diagnosis sobre la situación del teatro español actual". *ADE Teatro* 50 (1996): 14-23.

Leonard, Candyce. "Women Writers and Their Characters in Spanish Drama in the 1980s". *Anales de la Literatura Española Contemporánea* 17.1-3 (1992): 243-256.

Mahieu, Roma. "El teatro español: Estado de la cuestión". *Cuadernos Hispanoamericanos* 559 (1997): 101-105.

Mahieu, Roma. "Teatro alternativo: un intento de panorámica". *Ínsula* 601-602 (1997): 32-33.

Matteini, Carla. "Las Teatrantes: ¿rebeldes con causa? (Ier Encuentro de Mujeres de Iberoamérica en las Artes Escénicas)". *Primer Acto* 275 (1998): 73-83.

_____. "Voces para el 2000". *Primer Acto* 272 (1998): 6-15.

Nieva de la Paz, Pilar. *Autoras dramáticas españolas entre 1918 y 1936. (Texto y representación)*. Madrid: Consejo Superior de Investigaciones Científicas, 1993.

O'Connor, Patricia W. *Dramaturgas españolas de hoy. Una introducción.* Segunda edición. Madrid: Fundamentos, 1992.

_____. *Mujeres sobre mujeres: Teatro breve español. Una introducción.* Madrid: Fundamentos, 1998. 158-169.

Pallín, Yolanda. "En la variedad está el gusto". *Premio "María Teresa León, 1999".* Madrid: Asociación de Directores de Escena de España, 2000. 7-13.

Pedrero, Paloma. "Algunas autoras de hoy y sus obras". *Primer Acto* 248 (marzo-abril 1993): 55-57.

Pérez-Rasilla, Eduardo. "Dramaturgas españolas contemporáneas". *ADE Teatro* 50-51 (1996): 87-90.

Petras, James. "Spanish Socialism: The Politics of Neoliberalism". *Mediterranean Paradoxes. The Politics and Social Structure of Southern Europe.* Eds. James Kurth y James Petras, con Diarmuid Maguire y Ronald Chilcote. Oxford: Berg Publishers, 1993. 95-127.

Podol, Peter. "The Influence of Feminism on the Treatment of Sexual Transgression and the Double Standard in Contemporary Spanish Theater". *Hispanófila* 114 (1995): 9-16.

Ragué-Arias, María José. *El teatro de fin de milenio en España (De 1975 hasta hoy).* Barcelona: Ariel, 1996.

_____. "Las dos caras de una generación de jóvenes autores". *Estreno* 24.2 (1998): 24-27.

Sanchis Sinisterra, José. "La palabra alterada". *Las Puertas de Drama* 5 (2001): 6-10.

Santolaria Solano, Cristina. "Breves notas sobre el mercado editorial teatral". *Las Puertas de Drama* 5 (2001): 15-18.

_____. (Dirección y texto) *Los Teatros de Madrid 1994-1998.* Madrid: Centro de Documentación Teatral, 1999.

Serrano, Virtudes. "Hacia una dramaturgia femenina". *Anales de la Literatura Española Contemporánea* 19.3 (1994): 343-364.

_____. "El renacer de la dramaturgia femenina en España". *Un Escenario Propio/A Stage of Their Own. Tomo I: España.* Kirsten Nigro y Phyllis Zatlin, eds. Ottawa: Girol Books Inc., 1998. 9-17.

_____. "Dramaturgia femenina de los noventa en España". *Entre Actos: Diálogos sobre Teatro Español entre Siglos.* Martha Halsey y Phyllis Zatlin, eds. University Park: Estreno, 1999. 101-112.

Tugues, Pep. "Els dramaturgs catalans contemporanis." *Avui diumenge* (14 March 1999): 4-13.

Tugues, Pep. "Perspectivas del teatro español para el año 2001: un enfoque sociológico". *Siglo XX/20th Century* 12.1-2 (1994): 277-90.

Zaza, Wendy-Llyn. "Imágenes del exilio en la dramaturgia femenina". *Entre actos: Diálogos sobre teatro español entre siglos.* Martha T. Halsey y Phyllis Zatlin, eds. University Park, Pennsylvania: Estreno, 1999. 39-47.

B. Las Dramaturgas

1. Beth Escudé

Piezas

1994	*El destí de les violetes*
1998	*La línea plana*
1998	*Pullus (El resplandor del lomo en las liebres huidizas)*
1999	*Ciudadano ¿qué?* (escrita con Alejandro Montiel)

Estudios

Montiel Mues, Alejandro. "Beth Escudé i Gallés". *Escena* 55-56 (Diciembre 1998/Enero 1999): 11.

_____. "Nueva dramaturgia catalana". *Quimera* 161 (1992): 9-23.

2. Paloma Pedrero

Piezas

1984	*La llamada de Lauren*
1987	*Besos de lobo*
1987	*Invierno de luna alegre*
1989	*El color de agosto*
1991	*Noches de amor efímero*
1994	*Noches de amor efímero* (nueva edición)
1995	*La isla amarilla*
1995	*Una estrella*
1995	*El pasamanos*
1998	*Cachorros de negro mirar*
2002	La Actriz Rebelde

Estudios

Berardini, Susan. "El toreo como vía de la identidad en *Invierno de luna alegre*". En *De lo particular a lo universal. El teatro español del siglo XX y su contexto.* John P. Gabriele, ed. Frankfurt am Main: Vervuert/Madrid: Iberoamericana, 1994. 181-187.

Canovas, Elena. "Con Elena Canovas". *Primer Acto* 265 (1996): 135-138.

Fagundo, Ana María. "La mujer en el teatro de Paloma Pedrero". En *Literatura femenina de España y las Américas.* Madrid: Fundamentos, 1995. 155-165.

Gabriele, John P. "Metateatro y feminismo en *El color de agosto de Paloma Pedrero*". En *Lecturas y relecturas de textos españoles, latinoamericanos y US latinos*. Juan Villegas, ed. Irvine: Universidad de California, 1994. 158-164.

Harris, Carolyn. "Juego y metateatro en la obra de Paloma Pedrero". En *De lo particular a lo universal. El teatro español del siglo XX y su contexto*. John P. Gabriele, ed. Frankfurt am Main: Vervuert/Madrid: Iberoamericana, 1994. 170-180.

_____. "La experiencia femenina en escena: *Besos de lobo* y *El color de agosto* de Paloma Pedrero". *Confluencia* 10.1 (1994): 118-24.

Hodge, Polly J. "Photography of Theater: Reading between the Spanish Scenes". *Gestos* 22 (noviembre 1996): 35-58.

Lamartina-Lens, Iride. "Paloma Pedrero". *Spanish Women Writers. A Bio-Bibliographical Source Book*. Linda Gould Levine, Ellen Engelson Marson y Gloria F. Waldman, eds. Westport: Greenwood Press, 1993. 389-396.

_____. "*Noches de amor efímero* de Paloma Pedrero: Tres variaciones de un tema". En *Discurso femenino actual*. Adelaida López de Martínez, ed. Puerto Rico: Universidad de Puerto Rico, 1995. 295-305.

_____. "Female Rage: Diosdado and Pedrero Deal with an Age-Long Problem in a New-Age Fashion". En *Entre Actos: Diálogos sobre teatro español entre siglos*. Martha Halsey y Phyllis Zatlin, eds. University Park: Estreno, 1999. 63-68.

Leonard, Candyce. "Body, Sex, Woman: The Struggle for Autonomy in Paloma Pedrero's Theater". *La Chispa '97. Selected Proceedings*. Claire Paolini, ed. New Orleans: Tulane University, 1997. 245-254.

_____. "Women Writers and Their Characters in Spanish Drama in the 1980s". *Anales de la Literatura Española Contemporánea* 17.1-2 (1992): 243-56.

_____. "Paloma Pedrero". *Major Spanish Dramatists: A Bio-critical Guide to the History of Spanish Theatre. Vol. 2*. Mary Parker, ed. Westport: Greenwood Press, 2001. 337-347.

Makris, Mary. "Metadrama, Creation, Reception and Interpretation: The Role of Art in Paloma Pedrero's *El color de agosto*". *Estreno* 21.1 (1995): 19-23.

Miranda, José Luis. "Con José Luis Miranda". *Primer Acto* 262 (1997): 58-61.

Monleón, José. "Paloma Pedrero". *Primer Acto* 258 (1995): 3.

Podol, Peter. "The Father-Daughter Relationship in Recent Spanish Plays: A Manifestation of Feminism". *Hispanic Journal* 17 (1996): 7-15.

_____. "The Socio-Political Dimension of Sexuality and Eroticism in Contemporary Spanish Theater". *Anales de la Literatura Española Contemporánea*. 17.1-3 (1992): 257-270.

Rodríguez, Alfredo. "La mujer en el teatro español del siglo XX: De María Martínez Sierra a Paloma Pedrero". *Estudios sobre mujer, lengua y literatura*. Santiago de Compostela: USCompostela, 1996. 121-36.

Serrano, Virtudes. "La personal dramaturgia de Paloma Pedrero". *Primer Acto* 258 (1995): 62-66.

Serrano, Virtudes. Introducción a *Paloma Pedrero. Juego de noches. Nueve obras en un acto*. Virtudes Serrano, ed. Madrid: Ediciones Cátedra, S.A., 1999.

Villán, Javier. "Con Paloma Pedrero". *Primer Acto* 258 (1995): 58-61.

Zatlin, Phyllis. "Intertextualidad y metateatro en la obra de Paloma Pedrero". *Letras Femeninas* 19.1-2 (1993): 14-20.

3. CARMEN RESINO

PIEZAS

1968	*El presidente*
1980	*La sed*
1982	*¡Mamá, el niño no llora!*
1983	*Ulises no vuelve*
1984	*Ultimar detalles*
1988	*Personal e intransferible*
1988	*Nueva historia de la Princesa y el Dragón*
1990	*La actriz*
1990	*Fórmula tres*
1990	*La bella Margarita*
1990	*Auditorio*
1990	*Diálogos imposibles*
1990	*El oculto enemigo del Profesor Schneider*
1992	*Pop y patatas fritas*
1992	*Los mercaderes de la belleza*
1992	*Los eróticos sueños de Isabel Tudor*
1995	*Bajo sospecha*
1996	*Las Niñas de San Ildefonso*
1996	*Spanish West*
1997	*La recepción*

ESTUDIOS

Buedel, Barbara Foley. "Rewriting Herstory in Carmen Resino's *Los eróticos sueños de Isabel Tudor:* When Fiction is 'Truer' than History"; en *West Virginia University Philological Papers.* 46 (2000): 77-83. Una selección crítica de ponencias del 23rd Colloquium "Representing Identities: Biography and Autobiography", Oct. 15-17, 1998.

De Paco, Mariano. "El teatro histórico de Carmen Resino". *Anales de la Literatura Española Contemporánea* 20.3 (1995): 303-314.

Gabriele, John. "Entrevista con Carmen Resino". *Estreno* 22.2 (1996): 32-34.

_____. "Estrategias feministas en el teatro breve de Carmen Resino". *Letras-Femeninas* 21.1-2 (1995): 85-95.

Lamartina-Lens, Iride. "A New Look at Familiar Faces: Carmen Resino's *Ulises no vuelve* and María José Ragué y Arias' *Clitemnestra*". *Romance Languages Annual* 1 (1990): 495-499.

Leonard, Candyce. "Re-Writing/Re-Presenting Textual/Sexual Gender Roles in Twentieth-Century Female-Authored Spanish Drama". *Un Escenario Propio/A Stage of Their Own.* Kirsten Nigro y Phyllis Zatlin, eds. Ottawa: Girol Books Inc., 1998. 27-35.

Serrano, Virtudes. "Las otras voces en el teatro español: Carmen Resino". *España Contemporáneo* 7.2 (1994): 27-48.

_____. "*La recepción,* una parábola metateatral". *ADE Teatro* 58-59 (1997): 84-85.

4. MARGARITA SÁNCHEZ ROLDÁN

PIEZAS

1989   *Búscame en Hono-lulu*
1990   *La misteriosa venganza de Thomas Kraus*
1996   *Sobre ascuas*
1996   *Cuentos de papel*
1997   *¿¡Aquí quién limpia!?*
1999   *Las aventuras de Viela Calamares* (escrita con Ana Rossetti y Paloma Pedrero)
2000   *La antesala*

ESTUDIOS

Henríquez, José. "Obreras rebeldes". *Guía del Ocio* 21 (31 de marzo al 5 de abril de 1998): 89.

Lara, Lola. "Un hada parada y obreras solidarias, en los estrenos del fin de semana". *El País* (28 de febrero de 1998): n.p.

Leonard, Candyce. "Margarita Sánchez Roldán". *Panorámica del teatro español actual.* Candyce Leonard y John P. Gabriele, eds. Madrid: Fundamentos, 1996. 53-56.

_____. "Re-Writing/Re-Presenting Textual/Sexual Gender Roles in Twentieth-Century Female-Authored Spanish Drama". *Un Escenario Propio/A Stage of Their Own.* Kirsten Nigro y Phyllis Zatlin, eds. Ottawa: Girol Books, Inc., 1998. 27-35.

5. CARMEN DELGADO SALAS

PIEZAS

1990   *Sueña Lucifer*

∿ ≈ ≈

ÍNDICE

CANDYCE LEONARD
Dramaturgas españolas en los 90 9
Introducción al teatro de Beth Escudé i Gallés 19

BETH ESCUDÉ I GALLÉS
AUTORRETRATO 22
Pullus 25

IRIDE LAMARTINA-LENS
Introducción al teatro de Paloma Pedrero 43

PALOMA PEDRERO
AUTORRETRATO 46
Locas de amar 49

Glosario 104

CANDYCE LEONARD
Introducción al teatro de Carmen Resino 105

Carmen Resino
Autorretrato 108
...Son los otros 111

Glosario 119

IRIDE LAMARTINA-LENS
Introducción al teatro de Margarita Sánchez Roldán 121

MARGARITA SÁNCHEZ ROLDÁN
Autorretrato 123
Hormigas sin fronteras 127

Glosario 159

IRIDE LAMARTINA-LENS
Introducción al teatro de Carmen Delgado Salas 161

CARMEN DELGADO SALAS
Autorretrato 163
La boda 167

Glosario 181

BIBLIOGRAFÍA SELECTA
A. Estudios Generales 183
B. Las Dramaturgas 185

El teatro

alternativo español

IGNACIO DEL MORAL
La mirada del hombre oscuro
Papis

ANTONIO ONETTI
Madre Caballo

PALOMA PEDRERO
La llamada de Lauren...
Solos esta noche

ESTUDIO PRELIMINAR, INTRODUCCIONES, GLOSARIOS Y

BIBLIOGRAFÍA POR

PHYLLIS ZATLIN

(Rutgers–The State University of New Jersey)

Colección Telón
GIROL Books, Inc.
Ottawa, Canada

ISBN 0-919659-43-8

Nuevos Manantiales
Dramaturgas Españolas en los 90

(Antología en 2 tomos)

Tomo 1

Beth Escudé i Gallés
Pullus

Paloma Pedrero
Locas de amar

Carmen Resino
…Son los otros

Margarita Sánchez Roldán
Hormigas sin fronteras

Carmen Delgado
La boda

[ISBN 0-919659-44-6]

Tomo 2

Yolanda Pallín
La mirada

Concha Romero
Un maldito beso

Mercé Sarrias
África

Lidia Falcón
¡Vamos a por todas!

[ISBN 0-919659-48-9]

Edición a cargo de:

Candyce Leonard e Iride Lamartina-Lens
(Wake Forest University)   *(Pace University)*

Girol Books, Inc.
Colección Telón
Antologías, 9 y 10

Este libro se terminó de imprimir
en el mes de septiembre
del año 2001

En la fotocomposición
se utilizó Adobe Minion 10.5/12